Collection « Azimuts »

Vernissage

Chère Sylvie,

Merci d'être là, ce soir pour partager ces moments magiques !

Tu as contribué à mon succès, en tant que première lectrice.

Merci !
De tout cœur...
Denis
xx

azimuts | roman

Denise LANDRY

VERNISSAGE

Catalogage avant publication de Bibliothèque et Archives Canada

Landry, Denise, 1958-

Vernissage

(Azimuts. Roman)

ISBN 2-89537-106-7

I. Titre. II. Collection.

| PS8623.A515V47 2005 | C843'.6 | C2005-941658-0 |
| PS9623.A515V47 2005 | | |

Nous remercions le Conseil des Arts du Canada de l'aide accordée à notre programme de publication. Nous reconnaissons l'aide financière du gouvernement du Canada par l'entremise du Programme d'Aide au Développement de l'Industrie de l'Édition (PADIÉ) pour nos activités d'édition. Nous remercions également la Société de développement des entreprises culturelles ainsi que la Ville de Gatineau de leur appui.

Dépôt légal — Bibliothèque nationale du Québec, 2005
                      Bibliothèque nationale du Canada, 2005

Direction littéraire : Micheline Dandurand
Révision : Lise Marcaurelle
Correction d'épreuves : Marie-Claude Leduc

Éditions Vents d'Ouest
185, rue Eddy
Gatineau (Québec)
J8X 2X2
Téléphone :   (819) 770-6377
Télécopieur :   (819) 770-0559
Courriel :   info@ventsdouest.ca
Site Internet :   www.ventsdouest.ca

Diffusion au Canada : PROLOGUE INC.
Téléphone :   (450) 434-0306
Télécopieur :   (450) 434-2627

Diffusion en France : Distribution du Nouveau Monde (DNM)
Téléphone :   01 43 54 49 02
Télécopieur :   01 43 54 39 15

*À ma mère, avec tout mon amour
et à Johanne Jarry, car elle a su trouver
les mots pour me redonner confiance.*

J'ai plus de souvenirs que si j'avais mille ans
Un gros meuble à tiroirs encombré de bilans,
De vers, de billets doux, de procès, de romances,
Avec de lourds cheveux roulés dans des quittances,
Cache moins de secrets que mon triste cerveau.

BAUDELAIRE
Les Fleurs du mal

Jung a dit : « Il faut partir du rêve…* »

« Arrête, tu me fais mal ! Pourquoi fais-tu ça ? »

« Tais-toi, je n'en peux plus de t'entendre », a répondu l'homme.

« Ne pousse pas dans ma gorge comme ça. Tu m'étouffes. »

Il ne relâchait pas la pression et restait de marbre. Semblable à la pierre tombale sous laquelle je m'enfonçais ! J'ai crié qu'il se ferait prendre, car sa voix était enregistrée dans mon magnétophone. Je me suis réveillée en sueur. J'avais eu vraiment peur.

Je me suis levée et j'ai sorti les pinceaux. La peinture comme remède. Mon sommeil était toujours peuplé de cauchemars de toutes sortes : des fœtus qui éclatent, des mâchoires qui craquent, des délires d'hôpitaux, des camisoles de force et des cercueils qui régurgitent leurs morts. Je détestais les nuits. De plus en plus. Elles ne me réparaient plus.

J'ai toujours créé, vous savez. Je suis une artiste. Peintre et poète à mes heures. Sauf que ce n'est pas ma profession. Je manque de confiance en moi. J'ai un tempérament anxieux. Je crée pour ne pas mourir. Je crée pour ne pas sombrer dans la folie. Le reste du temps je survis. Je routine. C'est banal, je sais. Tous les artistes disent cela. Ce ne sont pas que des clichés, c'est la vérité.

---

* Anaïs NIN, *Le roman de l'avenir*, Éditions Stock, Paris, 1973, p. 17.

Bien sûr, certains artistes créent par conviction. Mon professeur. Ou pour l'avancement de l'Art. André Breton. D'autres le font aussi par mimétisme. Ma voisine. Pour justifier sa paresse ou pour ne pas gagner sa vie honorablement. Encore ma voisine. Ce n'est pas toujours une question de vie ou de mort, mais lorsque c'est le cas, je peux voir la différence.

J'aimerais pouvoir affirmer que la création n'est pas que l'apanage des émotifs. J'aimerais proclamer haut et fort que je suis une femme de tête, rationnelle. Hélas! Je suis une artiste, anxieuse. Telle une diabétique de type deux. Je suis faite comme ça. Je n'y peux rien. Je parle rarement de ça. C'est mon affaire. D'ailleurs, je montre très peu mes peintures. Surtout les nouvelles. Je n'ai pas suffisamment de recul, alors je ne commente jamais mes toiles. C'est mieux ainsi. Je n'aime pas la critique. Mais puisqu'il faut bien commencer quelque part pour se faire connaître, j'avais accepté de participer à une exposition collective au centre communautaire de mon quartier. J'ai bien dit: accepté de participer. Je n'aurais pas dû. Ce n'était pas le bon moment. J'ai craqué. La raison n'est pas facile à expliquer. Dans ma tête, c'était comme une grande révolte de prisonniers. Tous mes souvenirs voulaient se libérer en même temps.

C'était un vendredi soir de pleine lune. Le Vendredi saint. Plus exactement le 21 avril du nouveau millénaire. C'est à ce moment-là que j'ai saisi l'ampleur du gâchis. Je tiens à la précision, au cas où on me traiterait encore de folle. J'ai très peu de souvenirs de cette soirée-là, car elle m'a été racontée. L'entendre de la bouche des autres rend l'événement encore plus irréel, comme un racontar ou une légende urbaine. Mais j'ai trouvé des preuves. Des graffitis au marqueur noir. Indélébile.

Ce vendredi-là donc, voyant que je n'avais pas encore installé mes toiles, le responsable de l'exposition a téléphoné à la maison. C'est Dolorès, comme douleur, la folle du logis, qui a répondu. C'est du moins ce qu'on m'a dit. La dernière fois qu'elle était apparue, j'avais seize ans. Elle n'avait pas refait surface depuis, et j'en avais maintenant trente-neuf. Mais bon, ce sont des choses qui arrivent. Quand le responsable s'est nommé, je me suis mise à rire comme une sorcière. J'ai crié que mes toiles étaient nulles et j'ai menacé de les détruire une par une. Il a eu peur. Il a appelé la police. Ils n'ont pu que constater les dégâts.

Mon appartement était sens dessus dessous. Mes grandes toiles étaient perforées en plein centre alors que les petites étaient éparpillées parmi les bouteilles de bière vides et les tubes de peinture restés ouverts. Fait troublant cependant, chaque toile portait un graffiti en latin. Je n'ai jamais appris le latin, hormis les mots d'Église entendus à l'école des sœurs quand j'étais jeune. Sur le moment, je n'ai rien compris quant à leur signification. Mais c'était pertinent. Ça me rappelait le jeu d'enfant que j'avais inventé pour compter les fessées de mon père. Fessées : 3. Baisers : 0. *Crudelitas* : 103. *Respectus* : 0.

Croyant à l'hypothèse du vol avec vandalisme, le policier aurait bien aimé terminer son rapport. C'était inutile. Je n'avais pas d'assurances. De toute évidence, il ne manquait rien. Rien de visible. Ils interrogèrent les voisins. Pas grand-chose à signaler, sauf une chicane de ménage à l'étage au-dessous juste avant l'incident. Pour une question de bébé. En avoir ou non. Le garder ou pas. Je les avais appelés, semble-t-il. Ce n'était pas mes affaires, mais je m'en suis mêlée quand même. Ils m'ont dit d'aller me faire foutre. J'ai répondu que ce n'était pas nécessaire d'être aussi méchant avec moi, que je voulais juste les aider à décider. La voisine m'avait raccroché au nez. Elle aurait juré que je pleurais.

J'ai réintégré l'appartement après une nuit à l'hôpital. Le policier avait appelé l'ambulance lorsqu'il m'avait trouvée dans un coin, recroquevillée, tel un chiot battu. Je me suis laissé faire. On m'a examinée, interrogée puis relâchée. J'avais simplement besoin de repos. J'ai voulu appeler ma mère pour célébrer Pâques avec elle. Je me suis ravisée. Je souhaitais rester seule encore quelques jours.

Aux prises avec la honte, je n'étais déjà plus à l'abri du temps, même du temps imaginaire. La douleur me repliait comme un fœtus et j'étais contrainte d'étreindre le silence. Je pleurais en solitaire, car je prenais conscience que ma fuite n'avait plus aucun sens. Plus je tentais de fuir, plus je m'enfonçais dans la souffrance. Je me sentais enchaînée à certains souvenirs. Pourtant la solution était à ma portée : un numéro de téléphone gribouillé sur un paquet de cigarettes. Le psy d'Édith. Une véritable amie. Du genre qui vous veut du bien sans avoir l'air de s'en mêler. Non, je ne voulais pas faire de promesses d'ivrogne. Je le gardais près de moi, pour me rassurer. Je le rangeais sous mes chandails, puis le sortais de nouveau, après les heures d'ouverture, en me demandant quand j'aurais enfin le courage d'appeler au secours pour vrai. Je composais parfois le numéro juste pour voir ce que je ressentais à l'idée d'expliquer la raison de mon appel. Après le troisième chiffre, je raccrochais. Non, je n'étais pas lâche. J'attendais simplement le bon moment.

☼

J'avais rompu avec Jack le 20 mars 2000, un mois avant cette exposition. Je ne dormais plus depuis un certain temps. J'étais très émotive, donc à fleur de peau, mais je me sentais libérée, en quelque sorte. J'aimais un autre homme.

Je l'avais rencontré lors du passage à l'an 2000. Quelle belle fête! À cette époque, mon cœur implosait comme de la pâte à pain coincée dans un moule trop étroit. Au contact de cet homme, la pâte avait pris des formes inattendues, débordant de l'espace alloué, menaçant de faire des dégâts. Malgré tout, j'étais déterminée à le revoir, coûte que coûte. Il m'avait harponnée, titillée, excitée. Je m'étais amourachée, mais je devais m'aventurer prudemment. Je ne voulais pas éveiller les soupçons de Jack. C'est moi qui lui téléphonais, lui donnant rendez-vous dans des hôtels sans étoile, pendant l'heure du dîner. Delta ou Beta, cela n'avait aucune importance, pourvu que je le voie. Je ressentais l'adrénaline d'une vie parallèle, interdite et jouissive. Quelle étrange sensation. Je tirais les ficelles d'un jeu affolant, d'une situation qui échappait à Jack. Je me sentais revivre. Vivante et forte. Confiante et amoureuse.

J'avais convenu que nous étions faits l'un pour l'autre. Il disait « Mon amour » comme s'il parlait de quelque chose d'important et de précieux. Je lui répondais « Mon chéri » à la manière d'une amante enflammée dans un vieux film français. Il me transformait. Ses petites attentions me fascinaient et me causaient en même temps une sorte de tristesse et de crainte. Comment faire pour quitter Jack? Avec l'aide de Jeff, je m'exerçais à lui annoncer notre rupture. Mais, de retour à la maison, je perdais tous mes moyens. Le moment n'était jamais favorable.

Puis, ce 20 mars de l'an 2000, premier jour du printemps, date mémorable, s'il en est une autre, Jeff m'a donné un ultimatum après onze semaines de liaison clandestine. Il voulait vivre avec moi. Je ne savais pas s'il était sérieux et je lui ai fait part de mon inquiétude. Il m'a répondu : « Mets-moi à l'épreuve et tu verras bien. »

Lorsque Jack est rentré, ce soir-là, il m'a embrassée avec plus d'ardeur que d'habitude, en essayant de m'entraîner dans la chambre. Je ne voulais pas, j'ai résisté. Il a poursuivi, je l'ai repoussé plus fermement. Il ne comprenait pas, alors j'ai enfin osé : « Désolée, Jack. J'ai rencontré quelqu'un d'autre. Je l'aime. Je te quitte. »

Tel que je m'y attendais, il a répondu que c'était impossible, que je ne pouvais pas lui faire ça, que j'étais toute sa vie et qu'il ne méritait pas ça. Voyant que je ne changerais pas d'idée, il a ajouté que je le regretterais un jour. Que je le supplierais de revenir et que, là, il ne me reprendrait pas. Je me sentais coupable, alors je lui ai lancé des choses terribles. Que tout était sa faute, qu'il m'aimait mal et qu'il ne pensait qu'à son propre plaisir. Puis, je me suis attaquée à sa virilité. C'était la seule raison qui me venait à l'esprit pour lui clouer le bec. J'ai dit que c'était à cause de ses éjaculations précoces. Je n'aurais pas dû. Son ego s'est révolté. Les claques ont jailli violemment, comme une pénitence bien méritée. *Crudelitas*: 120. *Respectus*: 0.

Qu'étais-je allée dire là? Mes cris avaient alerté les voisins, qui ont appelé la police. Jack a été arrêté, menottes aux poings. J'ai passé deux jours à l'hôpital. Quelques fractures à soigner. Rien de grave. Jeff n'est même pas venu me voir. Le salaud! Il était en voyage d'affaires, paraît-il. J'ai refusé de le revoir. Il n'a pas insisté. J'aurais tellement souhaité qu'il s'excuse en disant qu'il aurait aimé venir me défendre. Même si ce n'était pas vrai. Toute cette douleur pour rien finalement.

Il m'a fallu des jours et des jours avant d'être capable de reprendre le dessus sur mes peurs, sur moi-même. J'ai passé des nuits entières à jongler avec le sens de tout cela. Qu'étais-je allée faire là? Mon lit, pourtant si vide, restait imprégné de la présence de Jack. En même temps, je rêvais que Jeff me rappelle. J'étais devenue un tel monstre. Pleine de contradictions, de mauvaise volonté, de crises de panique. J'avais besoin d'être corrigée et il l'avait fait. Je le haïssais, mais je me rendais compte que je l'aimais encore, malgré tout. Je l'aimais comme une vieille cicatrice que l'on regarde en soupirant, car elle nous remémore que la vie est passée par là. Elle devient notre mémoire. Rien n'aurait été pareil sans elle.

Contrairement à ce que j'ai pu raconter aux policiers le soir de l'exposition, ce n'était pas la faute de Jack ni la mienne. C'était à cause de Dolorès, *dolor, doloris*, ma douleur. De mes yeux qui ont tout vu, de mes oreilles qui ont tout entendu et de ma peau qui est restée tatouée. *Crudelitas*: 150. *Respectus*: 0. C'était une partie à finir.

✿

Hier, le 25 août 2001, c'était mon premier vrai vernissage, hormis celui que Dolorès avait saboté, bien sûr. Ce n'est pas trop tôt. J'ai dépassé la quarantaine. Mes amis y étaient. Pour l'événement, pas pour moi. Je suis assez lucide pour deviner leur jeu. Être reconnue en tant qu'artiste attire les foules. Pas moi. Ils étaient fiers. Il ne faudrait pas les dénigrer. Je les laisse pavoiser.

Pour ma part, je n'ose pas parler de l'enflure des gens ni de ma métamorphose. C'est trop philosophique. Encore moins de ma démarche artistique. C'est mon affaire. Je ne ferai pas de commentaires non plus sur les journalistes pâmés devant mes toiles. Non. Je savoure en secret. C'est une simple et douce vengeance. Ces moments ne s'expliquent pas. Ils se vivent. Ma vie d'autrefois ne me fait plus souffrir maintenant. Elle me fait réfléchir. À toutes ces étapes, aux faux-semblants. Est-ce que je méritais tout ça ? Il faut croire que oui. Je suis fatiguée de me révolter contre les injustices de la terre. Je ne regarde même plus le journal télévisé. Aujourd'hui, je peux enfin déclarer que j'existe. Pour moi, tout simplement.

Tout à l'heure, je me suis procurée les journaux du dimanche, 26 août 2001. Autre date mémorable pour moi. J'ai lu les critiques qui me concernent. Ce n'est pas mal. Mais ils n'ont rien compris. Ce n'est pas grave. Je ne commente jamais mes toiles, alors ils font ce qu'ils peuvent. J'ai découpé les articles et je les ai collés dans un grand *scrapbook* au-dessus des photos de mes toiles. On ne sait jamais. Cela pourrait servir.

Memoria

« *Memoria,* huile sur toile 6 x 8. D'un expression-nisme pur et flamboyant. Imprégnée de primitivisme, cette toile cultive les simplifications formelles, la violence graphique, l'irréalisme de la couleur. Une envolée vers l'abstraction lyrique. Un patchwork formant un cerveau humain, fissuré par endroits. »

La mémoire est un phénomène étrange. Elle enregistre, à notre insu, des événements, des bruits, des effluves qui ne semblent pas avoir retenu notre attention de prime abord mais qui, soudain, au moment le plus inattendu, nous sont renvoyés en plein visage avec une impression de déjà-vu. Il en est ainsi de mon passé. Malgré tous les efforts que je fais pour le décomposer en milliers de petites scènes anodines de la vie quotidienne, il se trouvera toujours quelqu'un, sur mon chemin, pour suspendre ma quiétude en ressuscitant un détail enfoui. C'est peine perdue d'essayer d'oublier les événements qui ont tissé la trame de mon enfance, car aussi vaste que sera l'étendue de mes connaissances et aussi diversifiées que pourraient être les images emmagasinées au fil des années, il y aura toujours une odeur, un juron, un craquement pour raviver la douleur, la tristesse, les carences engendrées par mon père. Et il y aura tout autant, sinon plus d'occasions de sentir la présence de ma mère, que ce soit dans son regard soumis devant la fatalité de son destin ou dans sa voix criarde à la suite de la perte d'un enfant. Mais ce sera toujours, malgré tout, le petit détail honteux qui réussira à s'infiltrer dans mes pensées laissées libres par un instant de pur bonheur.

Vilis Pater

« *Vilis Pater*, huile sur toile 36 x 48. Digne d'un Kandinsky. *Vilis Pater* est une composition de treillis aux lignes noires, grises, jaunes et bleues, d'où émerge une tache rouge, symbole et expression romantique du monde intérieur et de sa spiritualité. »

Souvent j'ai souhaité qu'il crève. Alors qu'il venait à peine d'ingurgiter le premier tiers de sa bouteille de gin, je me surprenais déjà à mesurer son niveau d'ébriété. Cachée derrière une porte, j'épiais ses allées et venues entre le La-Z-Boy et le réfrigérateur. En secret, j'espérais qu'il s'accroche les pieds et se brise le cou en chutant, tête première, contre la porte du four laissée ouverte pour chauffer la maison. Mais je m'en repentais aussitôt. D'autres fois, pendant qu'il était assoupi, ivre mort, sur le canapé du salon, j'approchais un miroir de sa bouche. J'avais déjà vu un acteur le faire à la télévision. Je vérifiais ensuite si son haleine y laissait une petite brume, que je m'empressais d'essuyer du revers de la main, déçue, incrédule. Je croyais alors que, trop préoccupée pour le faire correctement, j'avais peut-être moi-même embué la glace.

À cet instant dévastateur, moment précis où mon cerveau d'enfant enregistrait le verdict « il est encore vivant », mon père renâclait comme un cheval. Ce bruit animal me remplissait d'une terreur que seule la vue d'un fantôme aurait pu égaler. Je me précipitais alors dans l'escalier qui menait aux chambres. Après quelques secondes passées à reprendre mes esprits, je bénissais chaque marche qui m'éloignait de lui tout en regardant intensément dans sa direction, comme si mon simple regard avait suffi à le trucider sans laisser de traces. Ma croyance très vive en Dieu m'incitait cependant à ne jamais lui souhaiter seulement du mal. Pour moi, la violence n'était pas une option. C'était pourtant la norme à la maison. Dolorès était toujours là. Je la considérais au même titre que les autres membres de la famille. Elle avait été engendrée par mon père, nous étant imposée telle une fatalité. Je l'acceptais donc comme une sœur trisomique ou un frère handicapé dont il fallait s'occuper sans rechigner. Je n'avais pas l'audace de l'affronter ni de me défendre. Je n'avais rien à redire. C'était comme ça. Il avait l'autorité, après tout. Il tapait, nous encaissions. *Crudelitas*: 30. *Respectus*: 0.

Pour que ma conscience puisse dormir tranquille, la Providence devait faire en sorte qu'il meure subitement. Un accident de voiture ou une crise cardiaque aurait fait l'affaire. Je savais qu'une mort noble aurait pesé plus lourd dans le poids des souvenirs que j'aurais conservés de lui. Ainsi, l'aura dramatique rattachée à sa mort se serait substituée à la honte qui entachait notre patronyme.

Aussitôt arrivée dans ma chambre, je m'empressais de fermer la porte, car seuls les chuchotements familiers de mes poupées avaient le don de me consoler. Elles me proposaient une alternative enviable à cette souffrance qui m'empêchait de grandir. Je m'installais alors au pied du lit, avec celle qui me réclamait le plus d'attention. Ainsi, à force de la regarder droit dans les yeux, j'en arrivais à oublier les ronflements, les disputes, le bruit sourd d'une main qui claque sur une joue, le cliquetis d'une monture de lunettes qui tombe sur la céramique, les cris stridents, reconnaissables, qui s'échappent d'une bouche fermant à peine, le grincement des ongles sur le dossier d'une chaise de cuirette. Puis, la vie tout autour commençait à devenir inintelligible. Comme après un long sommeil, mes pensées prenaient un certain temps à s'agglomérer. J'avais la vision d'un rêve simple et merveilleux. Le rêve le plus précieux à mes yeux d'enfant : des parents heureux qui rient et jouent avec leurs enfants. Et qui ne font pas semblant.

Malheureusement, dès que j'ouvrais les paupières, je recouvrais la vue. J'étais alors bien désolée de trouver autour de moi une obscurité froide. Une noirceur affolante pour mes yeux qui brûlaient d'avoir trop longtemps fixé ceux de ma poupée. Au-delà de cette apparente tranquillité, une impression encore plus obscure s'emparait de moi. Je me demandais si maman était toujours en vie. S'il était enfin mort. Je collais l'oreille à la porte de ma chambre, épiant le moindre bruit. Soulagée de ne rien entendre, je me glissais sous les draps en priant le petit Jésus d'écouter ce que mon cœur avait à lui dire. Il fallait toujours prier plus fort les samedis soir.

Le lendemain, jour du Seigneur, aucune violence, aucun blasphème n'était toléré à la maison. Peu importe les circonstances. Quand je voyais mon père agenouillé devant maman, l'air contrit, en train d'implorer son pardon, j'osais y croire. Quand il répétait qu'il ne toucherait plus jamais à cette eau du diable qui le rendait semblable à une bête, je me disais qu'Il avait enfin entendu ma requête de la veille. Et je lui accordais une nouvelle chance.

Cette grande toile a longtemps recouvert tout un pan de mur de l'appartement. Jack la trouvait laide. Il n'avait pas tort. Esthétiquement parlant, c'est trop criard. N'empêche. J'avais insisté pour la laisser là. Observer mes souvenirs, réduits à de simples lignes de couleur tels des prisonniers blessés derrière les barreaux, me faisait du bien. J'étais la geôlière. Je les avais à l'œil.

Silentium

« *Silentium*, huile sur toile 6 x 8. Toute petite toile surréaliste. Les bleus et les blancs dominent. Comme des volutes qui s'échappent d'une théière. »

Il arrive un jour où l'esprit suffoque sous l'oppression des souvenirs. C'est la crise de panique. L'âme tourmentée ne peut alors supporter rien d'autre que sa propre immensité, impossible à mesurer, même dans l'intimité du silence. Dans ces moments-là, mes vieilles peurs de jadis surgissent de nulle part, comme le génie sort de la lampe que l'on a trop frottée.

Je jongle avec mon morceau de papier cartonné. Le numéro de téléphone est presque effacé. J'hésite trop longtemps. J'avale d'autres tranquillisants.

Mors

« *Mors*, huile sur toile 36 x 48. C'est une peinture cruelle de l'inadaptation des êtres. Un homme assis dans un cercueil brun. La conception est sobre, argileuse et boisée. Il se tient la tête à deux mains. Ses yeux sont des fusils. Des enfants lui sourient malgré des larmes énormes qui éclatent à leurs pieds. »

Juste avant ma rupture avec Jack, je suis allée aux funérailles d'oncle Jean-Paul. Je me demande encore comment il a fait pour vivre si longtemps. En revoyant la parenté, ma tante éplorée, mes cousins, mes cousines, j'ai ressenti un choc. J'ai soudain pris conscience que papa était mort. Que j'étais encore vivante! Que ma sœur et mes petits frères étaient morts! Que j'étais encore vivante! Et que je ne méritais pas d'être encore en vie puisque j'entendais toujours battre un cœur qui n'était pas le mien.

En voyant son frère si ressemblant couché sur le satin blanc, avec un crucifix de bois entre les mains, j'ai eu l'impression de constater la mort de mon père une seconde fois. Au lieu de me sentir libérée, pour de bon, j'étouffais sous l'emprise d'une grosse peine qui n'en finissait plus. Pourquoi ne pas lui dire enfin ma façon de penser ? Je me suis penchée au-dessus du cercueil et, avant même d'avoir eu le temps de m'agenouiller, je me suis effondrée, sans connaissance. Mais je n'ai pas pleuré.

Pauvre Jean-Paul. Il avait fait la guerre. Quand il est revenu au pays, il n'avait pas voulu célébrer la fin des hostilités. Il avait de bien meilleures raisons d'aller boire. J'étais persuadée que les images d'horreur qui le hantaient ne lui laissaient pas de répit. J'aurais aimé comprendre, mais nous étions prévenus. Ne posez pas de questions, les enfants. Il semblait si malheureux. Je suis allée le voir quelques fois. En cachette, pour qu'il m'explique. J'ai vu de près ses blessures de guerre. Je les ai même touchées. Il me disait : « Vas-y, touche. Ce n'est pas donné à tout le monde d'avoir cette chance. »

Lorsqu'il venait nous rendre visite, avec sa femme, il me faisait la bise en arrivant. C'était toujours après la messe. Et bien que ce fût le matin, son haleine empestait déjà le même parfum éthylique que celle de mon père. J'ai longtemps cru que tous les hommes dégageaient cette odeur. Tante Huguette aussi sentait l'alcool.

Un dimanche où ils étaient restés à dîner, je les ai entendues parler tout bas, ma mère et elle. Ma tante devait faire tellement d'efforts pour rester équilibrée en présence d'un homme défait comme lui. Il était rongé par les cauchemars et le cri des hommes qui tombent sous les balles. Mon oncle devait être un héros, car maman buvait littéralement ses paroles. Empathique, elle lui tapotait doucement la main en lui offrant une troisième tasse de café. Ma tante s'est empressée de refuser poliment au profit d'un petit verre de brandy. C'était plus calmant pour ses nerfs.

Puis, ayant remarqué un bleu sur la joue de maman, elle lui a demandé en suggérant une réponse toute faite : « Es-tu tombée, Louise ? Comment est-ce que tu t'es fait ça ? » Sainte femme, ma mère a fait signe que oui en détournant les yeux pour changer aussitôt de sujet de conversation. Elle m'a déçue. À ce moment-là, nos regards se sont croisés. Je n'étais pas convaincue qu'elle comprenait la profondeur de ma détresse malgré mes yeux fâchés. Mal à l'aise, elle s'est levée et a commencé à me gronder sans raison. Je n'avais pourtant pas prononcé un mot ni cassé de verre, ni fait japper le chien des voisins, ni fait fâcher mon père. J'étais punie pour l'avoir surprise en train de mentir, alors que la punition lui revenait de plein droit. Le huitième commandement ne dit-il pas : « La médisance tu banniras et le mensonge également » ?

Impassible, je me suis réfugiée dans ma chambre, mon sanctuaire. Plus précisément dans l'antre de la fenêtre à battants qui fermait si mal et laissait passer le froid tout l'hiver. J'y suis restée jusqu'à ce que maman, peu de temps après, décide de me rappeler à la cuisine. Elle devait avoir des remords. En attendant la rédemption, je me suis installée confortablement. J'ai appuyé ma joue contre la vitre presque gelée. J'entendais un train siffler au loin. J'ai vu un vol de canards. Ou bien étaient-ce des bernaches ? Comme tous les automnes, ces oiseaux faisaient l'objet de spéculations quant à la rigueur de l'hiver que nous aurions. Ils nous avaient quittés assez tard cette année-là. J'ignorais si c'était un bon signe.

En regardant au loin, j'ai invoqué le saint patron des ouvriers, Joseph, pour qu'il m'accorde une petite faveur. Un acte par omission. Pas très compliqué pour lui qui avait tant à faire et tant de gens à protéger. Mais combien précieux pour moi qui souhaitais mettre un terme aux souffrances de ma mère. Je ne demandais pas la lune. Non. Juste d'essayer, l'espace d'un instant, de regarder ailleurs le jour où mon père monterait sur le toit après avoir ingurgité son sandwich avec une gorgée de bière. Ce n'était pas trop exiger quand même.

Je n'aurais jamais eu le courage, sous aucun prétexte, d'implorer la bonté de Madeleine-Sophie Barat, sainte patronne des écolières. Elle n'aurait pas compris qu'une jeune fille de mon âge trouve plus aisé d'être orpheline que de pardonner à son père une condition dont il n'était pas responsable. C'est du moins ce que maman racontait tout bas à tante Huguette au moment où je les ai rejointes dans la cuisine. Mon père était malade. Ce n'était pas sa faute. C'était sûrement l'espérance qui lui faisait conclure que, tout compte fait, nous n'étions pas à plaindre. Trois repas par jour. Une grande maison louée pour nous abriter. Peut-être que l'amnésie dont elle souffrait était causée par les ecchymoses de la dernière raclée. Sinon, comment expliquer le fait qu'elle prétendait à un bonheur qu'elle ne connaissait pas, que nous ne connaissions pas ? Pourquoi omettait-elle de dire à tante Huguette à quel point nous tirions le diable par la queue ? De quel droit nous refusait-elle l'accès à une enfance normale en tolérant ces abus ou, pire encore, en les justifiant sous prétexte qu'il était malade ? La mémoire de ses côtes n'était-elle pas suffisante pour exiger un peu de respect, de bonheur, de bien-être ?

Oncle Jean-Paul et mon père, eux, s'employaient à écouler le temps en regardant la télévision. Il y avait un tel écart d'âge et de goûts entre les deux frères que toute proximité affective était quasiment impossible. Aussi, bien avant que maman ait annoncé l'heure du dîner, les deux hommes se sont pointés dans la cuisine, impatients comme des enfants. Ils souhaitaient occuper leur langue à autre chose que des commentaires incertains à propos de la partie de football qui ne semblait intéresser ni l'un ni l'autre.

Bien entendu, il y avait cette complicité dans l'alcool qui les unissait dès le premier *chin-chin*. Ainsi, à la vigueur du ton, au tintement des verres ou au choc des bouteilles de bière, je pouvais présager la platitude des histoires cochonnes qu'ils se raconteraient. Mais, lorsque mon oncle répétait comme un écho « À la tienne itou, mon Yvon », avec cet accent du patrimoine inspiré de Bidou Laloge, dans *Les belles histoires des pays d'en haut*, je savais que l'après-midi se consumerait en vains espoirs de sobriété du côté de mon père. Il avait eu beau s'agenouiller devant maman pendant de longues minutes, juste avant l'angélus, et lui faire toutes les promesses de la terre, j'aurais mis ma main au feu que la visite de mon oncle lui apportait sur un plateau d'argent le lot d'excuses qu'il lui fallait pour retomber dans la bouteille.

Maman faisait alors les gros yeux en tentant de limiter l'accès au réfrigérateur. S'il s'aventurait vers la cave, elle lui fermait aussitôt le passage. Mais il savait qu'il y avait toute la réserve de caribou apportée la veille, par son beau-frère, en prévision du réveillon de Noël. Même si maman avait tout fait pour lui dissimuler l'existence de ces gallons d'eau-de-vie, rien ne pouvait échapper à mon père. Il avait ce don particulier permettant aux humains de survivre envers et contre tous : l'instinct. Tel un sourcier qui possède le pouvoir de découvrir les nappes d'eau souterraines à l'aide de sa baguette, mon père regardait maman dans les yeux en pointant la cave. Et il faisait semblant d'écouter ce que son petit doigt avait à dire sur le sujet. D'ailleurs, elle cachait toujours une bouteille ou deux à cet endroit pour calmer son agressivité liée au manque d'alcool et acheter la paix le moment venu. Ainsi, par la force des choses, elle contribuait à sa dépendance. Hélas, ce petit jeu se retournait contre elle puisque, à la moindre occasion, il menaçait de la frapper si elle ne dévoilait pas sa cachette.

Peu de temps après le repas, oncle Jean-Paul et tante Huguette ont décidé de partir. N'ayant pas eu d'enfants, les cris incessants de mes frères, toujours en train de se disputer, ont eu raison de leur patience. Tout le monde, sauf mon père, s'est empressé de les inviter à rester encore un peu, sans grande conviction. Mon père a haussé les épaules, dans un geste d'incrédulité face à tant d'hypocrisie de notre part. Puis il est retourné cuver sa bière dans le La-Z-Boy, fâché d'avoir eu à céder la place à son frère plus âgé qui n'avait pas décollé de cette chaise jusqu'à son départ.

Mon père s'accommodait du mieux qu'il pouvait de ces visites. Mais lorsqu'il s'agissait de ses choses à lui, son fauteuil, sa bière, son téléviseur, son auto, ses idées, il tolérait difficilement le partage. Même si, une heure avant qu'ils arrivent, maman le priait d'être plus généreux, sociable, accueillant, raisonnable, il ne l'était pas. Pour la faire taire, il répondait toujours : « Oui, oui, Louise, t'inquiète pas. » Mais aussitôt dit, il s'enfermait dans un mutisme déconcertant qui nous laissait présumer qu'un affrontement aurait lieu, car il ne ferait qu'à sa tête.

Dès que la parenté partait, nous devions nous empresser d'aller au lit, car l'humeur de mon père résistait mal à ces « après ». Sans que l'on sache trop pourquoi, il se transformait en monstre de cruauté verbale à notre endroit, mais principalement envers maman. Une dispute éclatait à tout coup. L'oreille collée contre la porte de notre chambre, nous restions suspendus au moindre bruit anormal, au moindre cri de maman qui sonnait plus douloureux que d'habitude. Bien que le sujet ait été tabou, je savais que le courage ne nous aurait pas manqué s'il avait fallu intervenir pour sauver notre mère d'une mort certaine.

Pendant bien des années, je me suis endormie en suppliant Marie, Joseph et tous les saints de me pardonner les pensées assassines qui m'obsédaient. Et, à défaut d'exaucer mes vœux les plus chers, de délivrer mon père du mal qui le rongeait par la racine.

Schola

« *Schola*, huile sur toile 20 x 24. Cette toile fut sans conteste la plus populaire de toutes. Une même sensibilité dans les contrepoints linéaires et dans le libre maniement de la couleur pure. Légère influence du fauvisme. Une grande hirondelle plane au-dessus d'une petite école de campagne. »

Le lendemain de cette visite de mon oncle et de sa femme, au réveil, je me suis demandé quelle pouvait être cette horrible sensation de brûlure au fond de ma gorge. Et ce voile devant mes yeux? Puis, je me suis souvenue que c'étaient les larmes de la veille qui avaient déformé ainsi mon visage. J'en avais versé jusqu'à épuisement, jusqu'à ce qu'elles aient le pouvoir de m'endormir. Sans comprendre ce qui s'était produit, je me suis sentie effrayée, réduite, et mon esprit encore englué par le sommeil me recommandait de rester au lit. Comme tous les lendemains de scènes, il fallait soigner ce mal de ventre qui me donnait le goût de vomir. Alors maman est venue voir pourquoi je n'étais pas encore debout.

Or, tout autant qu'un *Ave Maria* le soir de Noël, qu'une poupée neuve à mon anniversaire, que la lecture d'une phrase brillante et belle ou la vue d'un oiseau perché sur la mangeoire installée au fond du jardin, le sourire de ma mère avait le don, parfois, de remplacer par une image joyeuse toutes celles qui me faisaient faire des cauchemars. Dans la mesure où cette image m'accompagnerait pendant la journée, j'étais prête à me lever, faire ma toilette, déjeuner normalement et aller à l'école comme s'il ne s'était rien passé.

Hélas, ce changement miraculeux s'est évanoui aussitôt que maman a ouvert les rideaux, les traîtres rayons s'étant empressés d'éclairer sa joue tuméfiée. Elle s'est détournée précipitamment en m'obligeant à regarder ailleurs. Puis, elle a dévié la conversation vers le trou fait dans mon bas et vers le désordre laissé dans l'éparpillement de mes poupées. Dans ces coïncidences quasi parfaites de la vie où les réalités de la veille semblaient un lointain souvenir en comparaison d'un trou grand comme deux doigts dans un bas presque neuf, la vie a repris son cours.

Ma mère, pleine d'entrain pour les occupations ménagères qui lui permettaient d'être utile tout en se retranchant derrière un inaccessible mur de silence, s'est alors activée plus qu'à l'accoutumée. Je lui étais reconnaissante de ne pas s'apitoyer sur son sort. Ce faisant, elle a réussi à mettre un certain baume sur nos plaies en n'ajoutant pas le poids de sa souffrance sur nos frêles épaules. Mon cœur débordait alors d'une admiration sans bornes en voyant le parfait contrôle qu'elle exerçait sur les muscles de son visage. Elle distribuait des sourires et des caresses silencieuses à mes petits frères sans qu'ils s'aperçoivent de quoi que ce soit.

Ma sœur et moi avons échangé des regards douteux, mais elle n'était pas dupe. Pour changer l'objet de nos pensées, elle a commencé à badiner sur le temps toujours clément pour la saison en mettant l'accent sur la chance que nous avions d'aller à l'école. Aussitôt, les petits ont demandé s'ils étaient chanceux eux aussi, ce qui a eu pour effet de la faire rire. Ils se sont installés à la table de cuisine avec leur tablette de papier et leurs crayons bien aiguisés, comme s'ils attendaient la dictée. Pour ma sœur et moi, c'était le signal de partir pour le couvent.

Aussitôt sur le trottoir, nous avons récité nos conjugaisons de verbes, en chantant, comme sœur Lucie nous avait appris à le faire en début d'année. Puis, nous avons poursuivi avec les tables d'arithmétique jusqu'à ce que nos amies nous entraînent dans une partie de ballon chasseur ou vers les cordes à danser. Je regardais ma sœur qui souriait à pleines dents et je souriais aussi. À chaque saut, je me sentais plus légère et je pouvais presque voir, au loin, les nuages noirs qui se dissipaient au-dessus de notre maison. Je redevenais alors l'écolière surdouée, à l'intelligence fortifiée par la caresse d'un rayon de soleil ou par le toucher d'un nuage, au passage, au moment de traverser le ciel sur le dos d'une hirondelle.

Vacuus

« *Vacuus*, huile sur toile 6 x 8. Les gris et les jaunes démontrent une rigueur extrême du néoplasticisme. Influence surréaliste de Mondrian. Au premier coup d'œil, on a l'impression d'observer une radiographie pulmonaire. »

J'ai encore fait un rêve d'hôpital et de cercueil. Je me sens mal. Je ne reconnais plus ma voix ni mon propre visage. Encore moins mes yeux qui oscillent entre le vide et la mémoire. J'ai l'impression de devenir comme une pierre lissée par le silence sur laquelle ne peut s'agripper la mousse de l'abandon. Et je sens mes poumons faire ombrage aux cris de mon cœur, dans l'effort qu'ils déploient pour tenter de respirer. Et le temps, suspendu au-dessus d'un souvenir, se crispe en fragments d'heures empruntées à d'autres planètes. Je peins, je peins, je peins, inlassablement.

Pietas

« *Pietas*, huile sur toile 36 x 48. Projection lyrique très contrôlée. Dimension disproportionnée. Image du père difforme. Iconoclaste, sans aucun doute. »

Cela n'empêche pas que, malgré les apparences, mon père se montrait parfois fort généreux. Quand, dans sa tête, il avait refusé de boire le contenu de tous les fûts de chêne de la terre sans succomber, son état méritait d'être qualifié de modèle de sobriété. Et là, il devenait vraiment un autre homme. Il nous couvrait de cadeaux alors que ce n'était pas Noël. Il dépensait des sommes exagérées en vêtements dont nous n'avions pas besoin. Bref, tout l'argent qu'il n'employait pas à boire lui brûlait les doigts et servait à racheter, momentanément, ses écarts de conduite.

Dans ces moments-là, maman ne paraissait pas très contente, car elle devait retourner certains objets chez le marchand pour qu'il lui rende l'argent qui servirait à payer le loyer, l'huile à chauffage, l'épicerie des prochaines semaines. Je comprenais alors que papa allait très mal, qu'il ne travaillait probablement plus et que maman devrait redoubler d'effort pour joindre les deux bouts.

Elle avait bien cherché à lui faire comprendre, tantôt par la douceur, tantôt par la colère, qu'il devait être plus raisonnable. Plus économe aussi, pour affronter l'hiver. Mais dans sa grande naïveté des jours bénis, il lui répondait : « Quand il n'y a plus d'argent, Louise, il y en a encore. Ne t'en fais pas. As-tu déjà manqué de quelque chose ? » Dans la crainte, sans doute, de provoquer une autre dispute qui s'essoufflerait tard dans la nuit, maman abdiquait et retournait à ses occupations. Elle ne voulait surtout pas fournir à mon père la justification qu'il attendait pour se consoler à l'aide d'un petit verre de gin, qu'il lui reprocherait ensuite d'avoir bu par sa faute.

Sachant qu'elle détestait que l'on se cache derrière les portes ou que l'on épie aux fenêtres, je sortais bruyamment de la cuisine, pour qu'elle comprenne que ma présence près d'eux n'était qu'inopinée. Elle se plaignait alors que j'étais trop bruyante, mais je savais qu'elle rouspétait pour la forme, pour reprendre la maîtrise de la situation. Je suis persuadée qu'au fond, elle aurait voulu que papa disparaisse de la maison, à tout jamais.

De plus en plus vulnérable, maman quittait la pièce de ses pas de plomb. Elle tentait en vain de dissimuler sa frustration derrière des mots d'une apparente légèreté. Pendant qu'elle mâchait ses mots, papa s'égarait dans son fauteuil le temps qu'il fallait pour éclaircir sa conscience. On aurait dit qu'il s'éloignait sur une barque glissante, dans le courant du fleuve, pris de remords et de lassitude. Le bien et le mal semblaient se disputer l'espace vacant de son esprit pas toujours aux aguets. Le temps était compté avant qu'il rompe à nouveau son pacte et retombe dans le péché.

Du haut de l'escalier, j'observais les soubresauts de son visage, le tremblement de ses mains en sevrage et je ressentais, au fond de moi, un éclair de pitié. J'aurais aimé avoir le courage de me précipiter vers lui en tendant les bras pour le convaincre de ne pas céder. Mais, s'apercevant de ma présence, mon père me foudroyait d'un regard méprisant, comme s'il pouvait ainsi expulser toutes ses horribles pensées.

Ces soirs-là, je les passais aussi dans ma chambre pour éviter de le provoquer. Avec un peu de chance, maman était épargnée et ma peine n'était plus qu'une ondée. Pendant des jours entiers, la maison était frappée d'une paix pesante, inhabituelle, qui laissait présager qu'il s'était trouvé sur cette terre une âme charitable pour l'embaucher. Mais nous étions des enfants effrayés par l'immobilité et le silence, alors la vie remplissait le vide de nos cris perçants.

Tristis

« *Tristis*, huile sur toile 6 x 8. Magnifique toile inspirée de l'époque du cubisme synthétique. Le pantin est très réussi. Avis aux amateurs d'arts visuels. Exposition à ne pas manquer. »

Pour mon douzième anniversaire, mon père m'a offert un pantin fabriqué en capsules de bouteille de bière. Il sentait mauvais. J'ai pleuré de rage. Ma mère, insultée, l'a giflé pour la première fois à ma connaissance. Il a répliqué. J'ai composé le numéro de la police. Ma sœur n'y était pas. Mes frères sont allés chercher leur bâton de hockey et ont gardé mon père en joue. Dans leurs yeux, j'ai vu la terreur, puis l'envie de tuer. D'où leur venait cette soudaine violence ? Ils n'avaient que cinq et six ans. J'ai tenté de les calmer, mais ils ne m'écoutaient pas. Je savais qu'ils auraient à le regretter un jour. Mon père a passé la nuit en prison. C'est son employeur qui l'a cautionné. Je ne connaissais pas la valeur de l'argent, mais mille dollars, c'était cher payé. Il y a sûrement quelque chose que je n'ai pas compris.

Pax

« *Pax*, huile sur toile 36 x 48. Version mystique de l'expressionnisme abstrait, fondé sur le pouvoir de la couleur. La femme y est représentée de façon étonnante.

Les plans se chevauchent en un tourbillon de camaïeu du blanc au gris. »

Un beau matin, maman nous a annoncé que papa serait absent pour quelque temps. Elle appréhendait que les rumeurs ne nous parviennent avant son retour du centre de désintoxication. Elle savait que la vie des commères était transcendée par les secrets mal gardés. Maman s'employait alors à les déjouer.

Pour nous sauver de cette déshonorante condition d'être les enfants de l'homme qui boit, elle inventait des histoires invraisemblables. Des histoires qui, si elles avaient été vraies, auraient fait de mon père ce héros qu'il n'était pas. Ainsi, de photographe de noces au chômage forcé, il devenait ouvrier spécialisé en attente d'un poste à la hauteur de ses compétences. De simple journalier mal rémunéré, il était promu mécanicien en chef sur les grands pétroliers qui sillonnaient le fleuve derrière notre maison. Elle aurait sans aucun doute souhaité, comme autrefois, pénétrer aussi dans le charme de cette opération, mais après plusieurs semaines d'absence, l'imagination lui faisait défaut. De plus, il se trouvait toujours une commère pour lui poser une question embarrassante le jour où elle passait au bureau de poste pour récupérer le courrier.

Une fois où je l'accompagnais, ces charmantes dames lui posèrent encore la question : « Bonjour, madame Lévesque. Votre mari va bien ? Ça fait un petit bout de temps qu'on ne l'a pas vu, il me semble. » Maman m'a demandé de sortir l'attendre sur le balcon. L'oreille collée contre la porte vitrée, je l'ai entendue répondre poliment : « Très bien merci. Il est en voyage pour son nouvel employeur. Toutes dépenses payées ! Il brasse des grosses affaires. Comme votre mari ! » C'était la femme du banquier qui lui avait refusé un prêt le mois précédent. Elle s'est ensuite avancée au comptoir, la tête haute, le regard en feu.

Lorsqu'elle est sortie, après avoir courageusement défié les insinuations des uns, les chuchotements des autres, maman a repris ma main, en serrant la lettre de papa contre son cœur. Elle a accéléré le pas jusqu'à la maison et je traînais derrière elle comme un foulard dénoué. C'est en remarquant l'abattement de ma mère que l'envie m'a prise de retourner là-bas pour leur dire ma façon de penser.

Le bonheur que je ressentais à être séparée de mon père n'avait d'égal que la honte ressentie à la suite de son comportement. Je m'interdisais toutefois de faire étalage de cette nouvelle énergie, purement éphémère, auprès de maman. Je voyais bien qu'elle gardait toujours au fond des yeux un mélange de peine et de contentement. J'aurais voulu qu'elle soit enfin heureuse sans lui. Hélas, je me rendais compte qu'elle osait croire en ces drôles de miracles que peuvent seulement espérer les personnes qui aiment. Comment pouvait-elle l'aimer autant?

En constatant ce fait, j'ai perdu tout espoir. Les meubles se sont mis à vaciller autour de moi comme les fois où j'avais tourné trop longtemps sur moi-même. Je me suis alors demandé s'il n'y avait pas, pour ma mère, une réalité différente de celle qui s'offrait à moi.

Je l'observais discrètement, pendant qu'elle déchachetait l'enveloppe. Au tremblement de ses mains, j'ai deviné qu'elle était fortement agitée. Quand elle a levé les yeux vers moi, j'ai baissé la tête et tout est devenu mensonge. Je jouais à n'avoir rien compris. Je continuais à dessiner. Si, à cet instant, maman a refusé de se confier et d'être consolée par moi, c'est que personne d'autre n'aurait pu lui venir en aide. Ma sœur aînée désertait la maison dès que maman y mettait les pieds et mes frères, trop petits pour être conscients du drame qui se jouait à la maison, poursuivaient leurs jeux d'enfants.

Je suis alors retournée à mes poupées, qui avaient bien besoin d'un peu d'attention. Aussitôt, je les ai prises dans mes bras, en les berçant jusqu'à ce que maman vienne interrompre le cours de mes pensées. Voyant que je ne faisais rien de mal, elle est repartie vers ses chaudrons, en les faisant claquer plus fort qu'il était nécessaire, histoire de masquer le bruit de ses sanglots.

Je me suis agenouillée au pied du lit en récitant la petite prière que j'avais inventée pour remplacer le *Notre Père,* qui me semblait désuet.

Mon Dieu qui êtes aux cieux
Donnez-nous moins de misère,
Et de l'amour comme chez les voisins,
De la patience pour ma mère,
Des bottines neuves
Pour mes deux frères,
De beaux vêtements
Pour ma grande sœur
Et du courage pour moi. Amen

Dans cette prière, je ne demandais rien pour mon père. Je lui en réservais une, toute particulière, lorsque je n'arrivais pas à m'endormir le soir.

Seigneur
Faites qu'il meure dans un accident d'auto
Ou qu'il se noie dans deux pouces d'eau

Mais débarrassez-nous de lui
Avant la fin de la nuit. Amen

Creatio

« *Creatio*, huile sur toile 20 x 24. Moment figuratif original dans l'itinéraire du démiurge de l'école de peinture américaine des années 1940. Référence à l'art des Indiens. Assemblage de totems hallucinants, de monstres sacrés. Nette influence de Jackson Pollock avant ses débuts de l'*action painting* dans l'abstraction gestuelle. »

Un soir, alors que je faisais d'insurmontables efforts pour m'endormir malgré cette douleur au ventre qui ne voulait plus me quitter, ma sœur est venue me rejoindre. Elle a tourné doucement la poignée de la porte et a tapoté le cadre au lieu de cogner pour ne pas réveiller le monstre qui dormait entre deux eaux. C'est ainsi que nous l'avions baptisé, *Le monstre du loch Ness*, en l'honneur de la bête qui nous avait fait faire d'horribles cauchemars. Ma sœur s'est glissée sous les couvertures, sans un mot. En guise de remerciements, tout ce que j'ai réussi à articuler c'est : « Comment as-tu deviné que je n'arrivais pas à m'endormir toute seule ? »

Elle a étouffé un bâillement et m'a répondu tout bas : « Les murs ont des oreilles. À l'avenir, si tu ne peux pas dormir, lis quelque chose au lieu de parler toute seule. » Je me suis collée dans son dos et j'ai contemplé ses cheveux courts dans l'obscurité de ma chambre. Étrangement, cette nuque ne m'était pas familière. Plus je scrutais la pénombre à la recherche d'un indice capable de me rassurer et moins je reconnaissais la tête qui s'était assoupie sur ma moitié d'oreiller. J'aurais aimé que ma sœur me parle un peu d'elle. Qu'elle m'explique pourquoi elle était là. C'était ma grande sœur et, pourtant, je ne savais même pas ce à quoi elle rêvait. Outre la camaraderie qui nous rassemblait sur le chemin de l'école, aucune amitié ne nous unissait. Elle était l'aînée de la famille ; j'étais la cadette des filles. Sa supériorité hiérarchique s'affirmait de plus en plus, à mon insu. Par exemple, la fois où j'ai ressenti le besoin de me confier à propos de ce que j'avais décodé comme étant mon premier chagrin d'amour, elle m'a repoussée froidement. Je la dérangeais avec mes niaiseries d'enfant. Si au moins j'avais su m'y prendre autrement. J'aurais peut-être pu capter son attention. Et devenir son amie.

Coincée entre le mur et ce corps inerte, j'ai remué un peu, car la panique s'emparait de moi. Je me suis retournée, dos à elle, la bouche à demi ouverte. Je me suis mise à compter les pétales de fleurs qui ornaient le papier peint. Au moment où je commençais à dénombrer toutes les idées farfelues qui s'étaient infiltrées dans ma tête, pendant ces longues minutes où j'avais additionné des fleurs, j'ai pris conscience que je ne ressentais plus ni douleur ni crainte. *Imaginarius* : 1. *Dolores* : 0.

Cette constatation m'a fait du bien. Je me suis sentie investie d'un pouvoir surnaturel capable de défier toutes les lois de la nature. J'étais la femme bionique. Mes yeux perçaient les murs, mes oreilles percevaient les ondes des animaux, mes mains frappaient plus fort que la foudre. J'avais découvert une faculté de mon esprit : l'invention. En me suggérant de lire, ma sœur m'avait offert la carte du monde de l'imaginaire des autres. Et plus j'occupais mon esprit à recréer le monde, plus j'avais accès à l'infini de mon propre imaginaire. J'étais de plus en plus déterminée à me confectionner une armure sur laquelle rebondiraient les insultes et les cris.

Je n'ai pas osé me lever pour chercher un livre de peur de la réveiller. J'ai donc passé une grande partie de la nuit à inventer des histoires terrifiantes. À vrai dire, si mes histoires avaient eu la moindre valeur prémonitoire, elles auraient pu aisément causer la mort de mon père. Dès lors, mon esprit érigea un rempart entre la réalité des autres et la mienne. Je ne parlais plus de ma peine. Même à confesse. C'était mon affaire. Le monstre s'était transformé en personnage de fiction à qui je pouvais infliger les pires châtiments.

Diabolus

« *Diabolus*, huile sur toile 36 x 48. Toile forte, originale et coquine. Une chaise berçante vide. C'est l'art spontané des déviants mentaux (ou art brut) pris pour modèle. »

Lorsque mon père est revenu à la maison, après quatre semaines d'absence, ses yeux brillaient d'une étrange lueur comme s'il était devenu un grand dadais. Jusqu'alors, je n'avais jamais cru qu'une telle transformation eût été possible. La plupart de ses humeurs avaient été complètement neutralisées. Le premier soir, je l'ai entendu affirmer à ma mère qu'il était enfin guéri. Foutaise. Qu'il ne voulait plus revivre l'enfer qu'il avait vécu là-bas. Mensonge. Qu'il avait dû affronter des démons qu'il croyait morts et enterrés! Probable. Qu'il donnerait sa vie pour qu'elle lui pardonne. Ouf! Je me suis mise à croire aux miracles.

Pendant les jours qui ont suivi, notre famille a pataugé dans une atmosphère visqueuse, presque irréelle. La situation n'était pas claire. Étions-nous enfin dans une nouvelle vie? Devions-nous encore craindre le pire ou tenter une manœuvre de réconciliation? Nous marchions sur des œufs. C'était lui maintenant qui restait en retrait, sans attendre de réponses. Évidé comme un cœur de pomme, le visage émacié, il déployait néanmoins ses tentacules pour nous faire sentir coupables de son nouvel état.

Je m'interrogeais sur le nombre de jours de sursis dont nous disposions avant qu'il éclate. En secret, je marquais d'une croix le petit calendrier suspendu à l'intérieur de ma garde-robe, chaque jour qu'il passait sans boire une goutte d'alcool. Par contre, j'aurais été incapable de jurer qu'il ne buvait pas en cachette lorsqu'il s'absentait. Un soir, je l'avais surpris en train de se gargariser la bouche avec un mélange d'eau et de sel de table sous prétexte qu'il avait mal à la gorge. Tel que je le présumais, aucun rhume ne s'était manifesté au cours des jours suivants. À tout le moins aucun des symptômes familiers, sauf peut-être cet état de fièvre qui perçait parfois ses yeux vitreux. J'aurais voulu qu'il se mette à tousser comme un tuberculeux ou qu'il reste alité pour soigner cette fièvre imaginaire au lieu de multiplier les sorties sous prétexte de chercher un emploi.

Mon intelligence d'enfant ne comprenait pas pourquoi maman était si naïve. Pourquoi ne voyait-elle pas ce que j'avais deviné? En fait, elle n'était pas dupe. Elle ne cherchait qu'à repousser l'échéance d'une rechute certaine. Lorsqu'il rentrait, elle le regardait pendant une fraction de seconde avant d'ouvrir la bouche à demi, et de la refermer en baissant les yeux pour donner plus d'emprise à son hochement de tête de droite à gauche, avant de s'approcher pour lui donner un petit bec sur la joue. Je la soupçonnais de vouloir plutôt humer son haleine pour vérifier si son instinct la servait bien. S'il était de bonne humeur, j'en déduisais qu'il avait un peu bu. S'il la repoussait sauvagement, je comprenais qu'il était sur le point de flancher et qu'il voulait provoquer une scène à la mesure de la justification dont il avait besoin pour aller se soûler. Quand il pleurnichait qu'il n'était qu'un bon à rien, je savais qu'il était en état d'ébriété très avancé. Il devenait alors impossible pour moi d'échafauder le rêve, à peine amorcé, d'une famille réunifiée dans l'amour et la tranquillité.

Un soir où il était rentré très tard, j'ai entendu maman repousser ses avances. Pour éviter d'y porter attention, j'accusais à voix haute le constructeur de la maison qui avait été aussi négligent de permettre qu'une telle situation se produise. Je suis convaincue que mon insomnie infantile était causée, en partie, par ces conversations qui traversaient les murs de nos chambres. Mon père murmurait sans doute des excuses que je ne comprenais pas. J'ai entendu le bruit feutré d'un combat, des cris bestiaux. Puis la porte a claqué durement. « Touche-moi encore et j'appelle la police. M'as-tu bien compris ? » Il a dévalé l'escalier en bougonnant.

Ses paroles se sont perdues dans le brouhaha des tiroirs qui s'ouvraient et se refermaient violemment. Les vêtements de mon père volaient partout avant d'atterrir au pied de l'escalier où logiquement il aurait dû se trouver. Mais le plan de maman a échoué, car le moteur de la voiture grondait déjà et les pneus crissaient sur la chaussée. Elle a laissé échapper quelques jurons, puis elle a décidé de ramasser les vêtements. Elle n'aurait pas voulu que nous trébuchions, si l'idée nous avait pris de nous lever pendant la nuit. Pour ma part, je m'étais déjà précipitée à la fenêtre de ma chambre pour vérifier s'il était réellement parti. Pendant de longues minutes, j'ai fixé les feux arrière de la voiture qui s'engageait dans le tournant de la rue Notre-Dame, sens contraire à la circulation, vers le bar le plus près. J'ai prié très fort ce soir-là pour qu'il aille percuter contre un arbre.

Le lendemain matin, après avoir jeté un coup d'œil par la fenêtre, j'ai vu la vieille Chevrolet mal garée dans l'entrée. Je me suis dit que je devrais m'appliquer et prier encore plus fort. Mes pensées sont devenues de plus en plus assassines et pour éviter d'avoir à m'en confesser, je me suis inventé un code personnel.

Ce que je ressens ne regarde personne. C'est mon affaire. Si j'avais ouvert une brèche dans ma coquille, à la première occasion, une lame affûtée se serait infiltrée pour l'agrandir, et la petite huître que je suis se serait fait manger toute crue. Et cela aurait été la catastrophe. Je n'avais pas besoin de ça. J'avais déjà suffisamment à faire pour consoler mes poupées.

Grâce à ce code, je pouvais dire une demi-vérité sans avoir à en subir les conséquences ni avoir peur d'aller en enfer. Trop de gens voulaient tout savoir. Par curiosité. Rarement pour m'aider. Ensuite ils en parlaient entre eux, dans mon dos. Se croyant bien malins d'avoir su écouter une petite douleur qui osait s'exprimer. Mais je les ai bien eus. Utilisé de façon très élémentaire dans mon enfance, mon code s'est raffiné au fil des ans. J'ai lu quelque part que plus de la moitié des gens mentent de façon régulière. Pour cacher un secret. Moi. Pour se faire aimer. Moi aussi. Pour se rendre intéressants. Mon père. Pour ne pas avoir à prendre de décision. Ma mère. Pour justifier une dépense. Édith. Pour se venger. Mon ex-belle-mère.

À la question « Pourquoi pleures-tu ? » je répondais : « Parce que l'hirondelle va peut-être mourir. » Traduction : mon père a battu ma mère et elle est misérable. Pourquoi as-tu peur ? « Parce que je perds souvent connaissance. » Traduction : j'ai tout vu, j'ai tout entendu, mais je ne peux rien dire. Que chantes-tu toujours comme ça ? « J'aime les pommes, l'hiver et la campagne. C'est ma chanson préférée. » Traduction : je hais tellement mon père, il me fait honte. J'aime les pommes, l'hiver et la campagne. J'aime les pommes, l'hiver et la campagne. Je la chantais tout le temps. Ma mère criait alors de la fermer ou de changer d'air si je ne voulais pas aller dans ma chambre. Je n'avais inventé que le titre, alors je le chantais en boucle, en courant jusqu'à ma chambre. Pourquoi me regardes-tu comme ça ? « Ça sent tellement bon, qu'est-ce que tu mijotes ? » Traduction : pourquoi ne dis-tu pas à papa de s'en aller d'ici ? Pourquoi es-tu si songeuse ? Cette fois, je prenais mon temps pour répondre : « La vie est tellement belle. J'aime m'arrêter pour y penser. » Traduction : si j'avais le courage de le tuer moi-même, je le ferais. Quand pourrai-je aller jouer chez toi ? « Quand les poules auront des dents. » Traduction : quand mon père cessera de boire. Connais-tu ce monsieur qui fouille dans les poubelles ? Je chantais : « J'aime les pommes, l'hiver et la campagne. » Avant d'ajouter : « Je ne connais pas de cochons comme ça. » Traduction : il ne faudrait pas que mes amies le reconnaissent, car je ne lui pardonnerais pas. Qu'est-ce que tu dis ? « Je mâche des mots puis j'en

fais des boules de gomme. » Traduction : je mens pour
ne pas te faire de peine. Est-ce que tu m'as parlé ? « Je ne
te parle pas, je parle à mon amie Dolorès. » Traduction :
je suis dans mon monde intérieur. Tu grossis. Pourquoi
te tiens-tu le ventre ? « C'est à cause de mes règles qui
s'en viennent. » Traduction : j'espère que ce n'est pas ce
que je pense. Pourquoi es-tu si colleuse ? Je susurrais :
« Je t'aime, je t'aime, je t'aime. » Traduction : dis-moi
donc que tu m'aimes toi aussi. As-tu vu ton copain avec
ta meilleure amie ? « Cela ne me dérange pas, je ne suis
pas jalouse. » Traduction : plus personne ne peut me
faire de mal. Es-tu certaine de cela ? « Je le jure sur la tête
de mon père. » Traduction : c'est le contraire que je veux
dire. Pourquoi es-tu si distante ? « Ce n'est pas ta faute,
c'est moi. » Traduction : tu me dégoûtes, mais cela ne se
dit pas. Pourquoi es-tu si froide ? « Tu n'as rien fait de
mal, c'est moi. Je ne me sens pas bien. » Traduction : je
suis trop lâche pour t'avouer la vérité en pleine face,
mais je ne t'aime plus. Qu'est-ce que tu as ? « Je n'ai rien,
absolument rien. C'est vrai. Que veux-tu que j'aie ? »
Traduction : je suis incapable d'exprimer ma colère,
alors ne pose pas de questions si tu ne peux entendre la
vérité. Que veux-tu que je fasse ? « Caresse-moi doucement comme avant. » Traduction : je n'ai vraiment pas
le goût de faire l'amour ce soir, mais puisque je suis
obligée. Pourquoi es-tu si brusque ? « Laisse-moi dormir,
je suis épuisée. » Traduction : je ne suis pas ton jouet,
lâche-moi. Es-tu sûre que cela ne te dérange pas ? Avec
un soupir : « Non, non, c'est correct, je vais le faire. »
Traduction : la prochaine fois, demande à quelqu'un
d'autre.

Ma mère

Lorsque je suis retournée à l'appartement, le lendemain de la crise de Dolorès qui m'a valu une nuit à
l'hôpital, j'ai demandé au concierge de changer les
serrures. J'avais peur de quelque chose, mais je ne trouvais pas les mots pour l'expliquer. Une pile de courrier
était entassée sur le palier. Comme si j'avais vécu en
recluse pendant plusieurs jours avant l'incident. La boîte
aux lettres débordait. Des journaux, des publicités, des
factures impayées, un prospectus sur la nécessité de faire
un testament avant de mourir et un autre sur l'aide
psychologique offerte dans de telles circonstances. J'ai
trouvé ça étrange. La mort n'est pas une circonstance.
Ce n'est ni une particularité ni une situation. La mort
est un état : on est mort ou on ne l'est pas.

C'est là, je crois, que j'ai pensé à ma mère et au fait
que je n'avais pas encore pu lui dire les choses telles
qu'elles se sont réellement produites. Mais j'ai attendu
au lundi pour l'appeler et lui annoncer que j'étais sortie
de l'hôpital. Elle n'allait pas bien et elle voulait me voir
immédiatement. Je ne pouvais pas refuser de la soigner
malgré ma propre souffrance. J'y suis allée. Elle aurait
souhaité que je reste auprès d'elle, mais je n'étais pas
prête. Pas encore.

☼

Ma mère était là devant moi, immobile et
silencieuse. Je me demandais à quoi elle pouvait bien
penser. Ses yeux laiteux, givrés par les cataractes,
s'égaraient dans le vide au-dessus de ma tête. À tâtons,
sa main gauche s'est posée sur la mienne. Je n'ai pas eu

le temps de réagir. Je ne me suis jamais sentie aussi lâche. Paume moite et chaude. Enveloppante. Je la détestais quand elle faisait cela. Cet air piteux de chien abandonné. Ses doigts longs et graciles pianotaient des reproches sur mes jointures, à moins que, pour une fois, ce ne fût des mots d'encouragement. On ne savait jamais avec elle. Cette chaleur m'étouffait. Sa présence me pesait. La culpabilité me détruisait. J'ai retiré ma main tachée de peinture bleu électrique, invisible pour elle. J'ai détourné les yeux. J'avais une peur insensée qu'elle me juge. Elle avait un don pour ça. Elle disait que Jack s'en remettrait. Que je ne devais pas m'en faire. En fait, elle n'a jamais cru qu'il m'avait tabassée à ce point. Je me demande même si elle n'a pas pensé que j'avais mérité tout ça. Elle voulait savoir si je voyais quelqu'un d'autre. J'ai menti. Elle a ajouté que c'était mieux ainsi. Je n'ai pas osé lui demander des explications. Avec elle, tout était si compliqué qu'il valait mieux changer de sujet plutôt que d'insister.

Un vol de bernaches traçait un « v » fébrile, mais temporaire, dans la vitre du salon. Leur cri si distinctif: « Je reviens, je reviens, je reviens. » Ma mère les imitait.

— Elles reviennent du Sud, a-t-elle cru bon de préciser.

— On dirait.

— Tu trembles ?

— Je ne tremble pas.

— Ta voix te trahit.

— La fatigue.

— … hum (soupir)

Elle n'a rien ajouté, mais je savais très bien ce qu'elle voulait insinuer. Que je l'abandonne trop souvent, que je suis une mauvaise fille, que je devrais plutôt demeurer chez elle, au cas où un malheur lui arriverait. C'était toujours les mêmes complaintes. Même si j'avais tout fait pour reprendre la maîtrise de ma vie, je la perdais de nouveau auprès d'elle. Elle était tombée malade juste au moment où je voulais penser un peu à moi. Je n'aurais donc jamais la paix!

Je m'étais rarement sentie aussi égoïste et aussi vulnérable à la fois. Je n'avais pas toujours décodé ses lamentations, ses angoisses existentielles, mais cette fois, je voyais bien où elle voulait en venir. Devant se faire opérer, elle avait peur de ne plus se réveiller. Elle craignait que des microbes la tuent, que le médecin soit incompétent, que ses voisins de chambre aient le sida. Elle préférait continuer à tousser plutôt que de risquer de mourir à l'hôpital. Elle avait besoin de moi. Est-ce que j'avais le choix? Pas vraiment. Tout ce qu'il me restait à faire était de m'occuper d'elle. Pendant quelque temps, c'est ce que j'ai réussi à faire de mieux.

— Je n'ai rien dit. Ne suppose pas des choses, m'a-t-elle fait remarquer.

— Avant de venir m'installer ici, je vais devoir m'éloigner un peu pour me soigner. Je pars demain.

— Ah! Bon.

— Tu ne dois pas t'inquiéter.

— Longtemps?

— Cinq, six jours. Une semaine tout au plus.

— Il y aura le téléphone?

— Ne t'inquiète pas. Je t'appellerai tous les jours.

— Je ne m'inquiète pas.

— Tante Marie pourrait venir te rendre visite.

— Ce n'est pas pareil.

— Je sais, mais je dois me reposer un peu.

— Tu me trouves trop difficile?

Que répondre à cette question ? Je ne peux quand même pas dire à ma mère qu'elle est capricieuse, qu'elle empoisonne ma vie et celle des autres, qu'elle devrait corriger cette manie de vouloir tout contrôler.

— Bon. Je dois y aller maintenant. Voici mon numéro de cellulaire. Tu m'appelleras au besoin.

— Où vas-tu au juste ?

— Pas très loin d'ici. Une auberge de repos.

— Tu es tellement blême. Repose-toi bien quand même.

— C'est le but.

Mentir. Toujours mentir pour acheter la paix. Je ne savais pas ce que j'allais faire, mais je n'avais pas envie de la voir cette semaine-là. J'avais besoin d'air.

Captare papilio

« *Captare papilio*, huile sur toile 84 x 96. Tableau surréaliste digne d'un Breton. Comme si nous assistions à la sécrétion du cocon par des vers à soie placés sur des claies. Citation de l'artiste : "Selon la théorie du modèle intérieur des surréalistes, une œuvre d'art ne se justifie que si elle contribue aussi peu que ce soit à 'changer la vie.' L'artiste ne doit s'attacher qu'aux seules images qui surgissent du tréfonds de lui-même." Intéressant. »

Un peu après ma semaine de repos, aux environs du 2 mai 2000, j'ai dû m'absenter de mon travail pour quelques jours à cause de ma mère. Son état empirait. Pour faciliter mes déplacements, j'ai aménagé une chambre dans sa maison. Paradoxalement, j'ai cessé de faire des cauchemars. Dolorès s'est enfuie. À cause des calmants. Mais j'ai cessé de peindre aussi. *Niet.* Plus aucune inspiration. Ma mort lente. Ma mère n'a pas vu arriver l'été.

Au début, après son départ, je dormais à poings fermés. De beaux huit heures d'affilée. Toutes les nuits, sans interruption. Je n'ai pas rêvé pendant plusieurs mois. C'est vrai que le médecin avait changé mes médicaments. Puis, en septembre, j'ai recommencé à faire de l'insomnie. Ne peignant plus, j'ai décidé d'écrire. Des trucs insignifiants, au début. Comme des secrets de journal intime. Et des histoires à dormir debout, ensuite. J'y ai pris goût. J'aimais travailler la nuit.

✿

« Je rage d'avoir survécu, Jack. Tu m'as presque tuée, pourquoi ne pas m'avoir achevée? » C'est ainsi que commençait le journal de mes trente-neuf ans. Une époque éprouvante. Ma rupture avec Jack et la maladie de maman m'avaient rendue amère et sauvage. Son décès soudain, au moment où j'avais besoin d'être consolée, donna à sa disparition un caractère d'insignifiance. Je l'ai soupçonnée de s'être laissée mourir exprès pour avoir la vedette une fois de plus. Pour ne pas me tendre son épaule. Égoïsme à l'état pur. Puisque je n'étais rien pour elle avant sa mort, je l'étais encore moins après. J'étais donc reléguée au plan des moins que rien. Une vie plate, dans un corps commun, à l'intelligence moyenne, qui passait inaperçue la plupart du temps.

Petite, je vivais dans le cocon tissé par ma mère. Je voyais le monde à travers ses yeux aux multiples facettes, ses lunettes roses ou grises et ses humeurs instables. Je voulais être « la fille à sa maman », au service de sa maman. Après le terrible accident de voiture auquel nous avions échappé, elle et moi, son indifférence a creusé un fossé encore plus grand entre nous. Mon mensonge aussi. J'aurais dû être avec eux. J'avais inventé une raison. Mon père était toujours soûl, alors j'avais prié très fort le samedi précédent. Je m'en voulais. J'aurais souhaité que ça se passe autrement. Pas avec ma sœur et mes petits frères.

☼

Le 23 juin 2000, veille de la Saint-Jean-Baptiste, les funérailles de ma mère ont été célébrées avec tout le respect que je lui devais. Tous ses vœux furent exaucés. Comme les autres membres de la famille, maman a eu droit aux plus beaux honneurs. Je n'aurais jamais pensé que l'on pouvait devenir insensible à la mort. J'imagine que l'être humain est à ce point malléable qu'il finit par s'habituer à la chose. À cette circonstance, comme disent les brochures.

Au salon funéraire, pendant les deux soirées où son corps fut exposé, je me suis retirée dans un coin pour observer les gens qui rôdaient autour de sa dépouille sans rien dire. Leur acte de présence me faisait pitié. Un peu coincés dans des habits de circonstance, ils s'empressaient de me transmettre des condoléances affectueuses. Par l'oblique du regard, je surveillais aussi le curé qui monologuait à haute voix. Je faisais parfois mon signe de croix, comme il fallait le faire dans un tel endroit. « Au nom du Père, du Fils et des sains d'esprit. Amen. »

Je me souviens d'avoir été émue par tous ces gens qui se rassemblaient pour un dernier recueillement. Les voisins, les amis, les tantes et les oncles qui séchaient leurs pleurs dans un concert d'éloges. Je ne ressentais pas le chagrin escompté, mais je devais tout de même feindre un peu, non ? « N'est-ce pas, maman ? C'est ce que l'on s'attend de moi. Quelques larmes et des regrets. » Je ne pouvais toutefois pas m'empêcher de regarder ma montre en comptant les heures qui me séparaient de ma nouvelle vie. Recouvrer enfin ma liberté. Surtout ne pas faire comme si de rien n'était. La mort d'une mère, ce n'est pas rien. « Encore un peu de courage », me suis-je répété.

Mais c'était trop long. On aurait dit que le temps était suspendu au-dessus du cercueil. Attendre la fin des funérailles. Planifier mes projets. Ne pas les dévoiler. Revoir ma liste de choses à faire. Rencontrer le notaire. Passer à la banque. Aviser la compagnie de téléphone et de câble. Faire un régime amaigrissant. Laisser mon emploi si l'héritage le permet. Acheter de la peinture. Essayer l'acrylique. Ça sèche mieux. Acheter un ordinateur. Juste pour moi. Tenter de revoir Jeff. Ou refaire ma vie, autrement. Oublier. Oublier. Oublier.

☼

En revenant à la maison de ma mère, après la petite réception de funérailles, j'ai fait un grand ménage. J'ai ramassé tous les vêtements lui ayant appartenu et je les ai rangés dans des boîtes. J'ai trié bibelots et souvenirs pour ne conserver que ce qui me rappelait quelque chose de significatif, dont une grande malle pleine de photographies prises par mon père. « Je regarderai les photos plus tard », ai-je pensé.

J'ai changé les draps, j'ai décroché les cadres, j'ai ouvert grandes les fenêtres et j'ai lavé le plancher de la chambre à l'eau de javel. J'étais maintenant le seul maître à bord. « Désolée, maman. Si je ne fais pas la coupure maintenant, j'ai bien peur de ne jamais avoir le courage de franchir cette porte de nouveau. Tes années de dépression m'ont rendue malade. Je dois me mettre en quarantaine pour ne pas contaminer d'autres personnes. Alors, je vais travailler la nuit entière, si nécessaire. Je dois tout désinfecter. En plus, mes pores sentent le mort. Tu dois ressentir une certaine fierté de voir le mal que je me donne pour ne pas te ressembler. J'ai vraiment tout essayé, sauf que l'insomnie c'est génétique je crois. Je ne dors plus autant qu'avant. »

Une forte odeur de désinfectant s'est mise à flotter partout dans la maison. La chambre ressembla bientôt à une cellule de cloître. Dépouillement total. Plus aucune intrusion encadrée ni ornement floral ne garnissaient les murs ou les commodes. Seule une grande affiche. Celle sur laquelle était figé un couple d'aras chloroptères rouge et vert, planant près d'une falaise. Je l'ai installée dans la salle de bains pour en recouvrir le miroir. Phobie d'enfant à la suite de la lecture d'un conte oublié. J'ai souvent eu peur de m'y engouffrer ou d'en devenir l'esclave comme elle. Je détestais les miroirs. Jack ne comprenait pas pourquoi.

Tous les matins, depuis de nombreuses années, je relevais un coin de mon affiche dans le seul but de m'assurer que j'existais encore. Après un lent clignement de paupière, ma pupille droite se rétractait, dévoilant l'iris bleu, inoubliable. Satisfaite, je rabattais mes oiseaux, je respirais un grand coup, je bombais le torse et je me répétais à voix basse : « Vas-y, Brigitte Lévesque, t'es capable. Tu es ta propre ennemie, alors fais gaffe. » J'avalais ensuite mes vitamines et mes calmants avant de prendre connaissance de mon plan de la journée. Il fallait faire des plans. Parole de ma mère. Quand j'étais petite, elle me dictait toujours des choses importantes à faire.

Après ce grand ménage, la journée s'est écoulée sans grande surprise. Je me sentais libre et enchaînée à la fois. J'aurais voulu faire des choses pour moi, mais aucune idée ne me venait. Soigner maman et faire les courses après le travail avait occupé tout mon temps ces derniers mois. Il fallait que je recommence à peindre. Les soirées étaient tellement pénibles. Et que dire des nuits.

☼

Nous arrivions à la fin de septembre de l'an 2000. Une autre nuit d'insomnie s'annonçait. Je me suis levée pour prendre un somnifère. J'en prenais chaque soir. J'ai marché en aveugle jusque dans le boudoir en usant mes pantoufles sur les lattes geignardes du plancher de bois franc. J'ai entrouvert les stores vénitiens.

Comme par magie, j'ai créé un monde de zèbres, autour d'une cage d'oiseau d'où sortaient parfois de la musique de jungle et des paroles d'humains. « Dors bien Fruit Loops. Chanceux, va », lui ai-je murmuré. C'était mon nouveau bébé. Un perroquet gris d'Afrique. Je l'avais acheté en emménageant chez ma mère au printemps. Pour la distraire, l'amuser. Elle n'en voulait pas. J'avais insisté pour qu'elle lui laisse une chance. Le temps de l'apprivoiser. Finalement, elle avait accepté. Je respirais mieux. Je ne voulais pas être seule à l'affronter.

À cause d'un vol le mois précédent, j'avais fait installer des serrures en laiton sur toutes les portes de la maison.

Celles avec un trou démesuré qui me permettait de regarder dans l'autre pièce. Par précaution, j'ai verrouillé la porte derrière moi, puis j'ai glissé le passe-partout dans la pochette de ma robe de nuit. Puisque j'égarais souvent mes clés, j'avais dû en remettre un double à mon amie Édith, pour qu'elle vienne parfois me sortir de là. Le vol avait déclenché une nouvelle peur en moi. Je prenais conscience qu'être seule, la nuit dans une grande maison en plein cœur de la ville, n'était pas sans danger. Les bruits s'intensifiaient, les rumeurs de la circulation s'amplifiaient, les paroles des voisins rebondissaient haut et fort sur les murs mitoyens des ruelles environnantes. Je me sentais dépourvue, vulnérable, une cible facile pour les voleurs et les malfaiteurs de tout acabit. Je ne pouvais guère compter sur Fruit Loops pour me défendre. Bien qu'il ait tenté de simuler la sirène des pompiers ce soir-là, il aurait été plus approprié de lui apprendre le cri strident de la voiture de police ou des flûtes d'un système d'alarme. N'empêche. C'était une bonne idée.

Le voleur était entré par la fenêtre de la chambre de maman. J'étais pourtant certaine de l'avoir verrouillée. J'avais dû omettre de le faire après le grand nettoyage. Ironie du sort, la veille j'avais refusé la visite d'un vendeur de systèmes d'alarme. À cause de la frustration. Ce jour-là, j'avais reçu au moins cinquante appels de toutes sortes : vente de thermopompes, offres de pompes funèbres, conseillers en placements financiers, agents immobiliers, nettoyage de tapis et divans après sinistre, interurbains à rabais et j'en passe. On aurait dit que toutes les sociétés de télémarketing de la ville s'étaient donné le mot pour m'appeler. J'imaginais les agents en train de composer fébrilement mon numéro de téléphone dans l'espoir de faire une bonne affaire.

Or, le voleur était entré pendant que je dormais dans le boudoir. J'ai entendu des pas. Je me suis figée. J'ai fait le mort. Il a ouvert toutes les portes de la maison l'une après l'autre. J'entendais le tac, tac, tac de ses talons qui s'accordait à mon pouls en accéléré. J'avais laissé la porte du boudoir entrebâillée. C'est à ce moment-là que Fruit Loops a imité les pompiers. Le voleur a dû avoir peur, car j'ai entendu un grand galop sur le plancher de bois. Puis, plus rien. Il a quitté la maison sans rien prendre. Le lendemain matin, j'ai appelé le vendeur de systèmes d'alarme et le serrurier. J'ai eu plus de peur que de mal. Mais n'empêche. Il aurait pu me tuer. Il était peut-être drogué ou armé. N'eût été de Fruit Loops, j'aurais pu être morte à l'heure qu'il est.

Pour me rassurer, j'ai tâté ma clé encore une fois avant de m'asseoir à mon bureau. Puis j'ai allumé l'ordinateur. Aucun nouveau message. J'ai pris la cassette sur laquelle j'avais inscrit « Le Collectionneur de papillons » et je l'ai insérée dans le magnétophone. Machinalement, je me suis approchée du calendrier mural. Perdue dans mes pensées, j'ai longtemps regardé la photo striée par la pénombre : un vol de *Danaus plexippus*, communément appelés monarques, en transit vers le Sud. Je me suis emparée d'un stylo et j'ai crucifié une autre date. Le 28. J'avais hâte de tourner la page. Cette attente m'était insupportable. Pour la trentième nuit d'affilée, mes souvenirs suspendaient le temps. J'ai enroulé le châle de soie de ma mère autour de mes épaules et je me suis affalée sur le grand zèbre. Je voulais attendre le sommeil avec cet amant qui ne voulait plus de moi. C'était trop beau pour être vrai, cette histoire avec Jeff. J'aurais dû me méfier.

Avant de mourir, maman m'avait dit qu'il n'en tenait qu'à moi de voler enfin de mes propres ailes. Et je l'ai crue. Mais je restais épinglée au babillard de mes souvenirs. Pas comme un spécimen de collection. Non. Comme un papillon blessé, atrophié. Comme une rature sur un prénom. « Lévesque Brigitte, absente. Malade. Encore! Je ne peux plus vivre comme ça, maman. J'étouffe. Tu aurais dû me prévenir des dangers de l'amour au lieu de me dicter une liste de choses à faire. »

Magnétophone en main, j'ai rembobiné la cassette en faisant des pauses, au hasard, pour choisir mon extrait. Quelle belle fête tout de même. Sous l'éclairage tamisé des lampes, le reflet bleuté de ma robe se prolongeait dans ses prunelles translucides. Il me ressemblait un peu. Je percevais une certaine tristesse dans sa démarche. La même sans doute qui m'avait guidée vers le *Ritz* ce soir-là. Quelle sensualité dans son regard. Quand je l'ai vu s'approcher de moi, mon cerveau a cessé de fonctionner. Par réflexe, mes doigts ont activé le magnétophone caché dans mon sac à main. J'avais peur d'être victime d'une crise cardiaque. Cette oppression dans la poitrine provoquait en alternance de mystérieux tremblements et l'engourdissement de mes membres. C'était cela le coup de foudre. J'en étais sûre. L'étincelle dans ses yeux dès le premier regard.

— Vous avez des yeux magnifiques, m'a-t-il dit.

C'est ce bout-là que j'aimais entendre. Je le connaissais par cœur. Je lui avais répondu :

— Pardon ?

— Vos yeux sont… magnifiques.

— Merci. « Et les tiens donc ! » ai-je pensé.

— Vous voulez danser avec moi ?

— Non, merci. Je ne danse pas.

J'aurais pu apprendre pourtant. S'il m'en avait laissé le temps. Mais pas le tango, tout de même. Pas en premier. Trop intime pour moi. Trop collé, souvent. Quelque chose me gênait. Son sourire si parfait? Non. Ses yeux sans doute. Deux billes bleues sur un terrain vague.

— J'ai le sentiment de vous avoir attendue toute ma vie, belle dame.

Embarrassée, j'avais détourné la tête en gardant la main devant la bouche comme pour masquer une haleine défraîchie. Il ne faisait aucun cas de mon malaise. J'espérais qu'il m'accepte telle que je suis, malgré ma petite difformité labiale. Très jeune, j'ai compris que ce signe distinctif m'empêcherait d'avoir de vraies histoires d'amour. Comme celles que je lisais dans les livres. J'avais beau m'offusquer des remarques désobligeantes de ma mère, je ne pouvais que lui donner raison. Lorsqu'elle me tendait un miroir, me forçant à regarder la vérité en face, aucun qualificatif relié de près ou de loin à la beauté ne collait à cette image. Parfois, certains disaient que j'avais de beaux yeux, que j'étais devenue jolie. Traduction libre, sans doute, des mots tabous qui leur brûlaient les lèvres. A-t-elle un bec-de-lièvre? Quelle est cette déchirure? Cette coche dans la belle poire?

Le notaire

Comme tous les lendemains de somnifères, je me suis réveillée en sursaut, me demandant où je me trouvais. Enroulée solidement dans mon châle, j'ai peiné pour sortir les bras. Je ne savais pas comment j'avais fait pour m'entortiller de la sorte. Je me suis tournée lentement, toujours engourdie par le médicament. Cherchant mon magnétophone, je me suis penchée, la tête lourde, la langue pâteuse, les tempes en feu. J'ai remarqué que la bande n'était pas entièrement déroulée. « À quel moment me suis-je endormie ? » J'ai remis le magnétophone en marche pour vérifier.

– Que faites-vous avec ça ? Vous m'enregistrez ?

« Encore au même endroit qu'hier, me suis-je dit. Étrange ! Est-ce que je l'ai écoutée finalement ? »

J'ai rangé l'appareil dans le tiroir, sans enlever la cassette ; il ne servait à rien de la remettre dans son boîtier puisque je devrais sans doute la ressortir la nuit suivante.

Comme d'habitude, j'ai enlevé la toile sur la cage de mon oiseau.

– Bonjour, Fruit Loops. Mon bébé a bien dormi ?

– Ouiiiiiii. Brigitte a bien dormi ?

– Non pas vraiment.

– Pas vraiment, pas vraiment… Vous avez des yeux magnifiques.

– Quoi ?

Je l'ai regardé, fascinée par le mécanisme de cette intelligence animale qui m'échappait parfois, puis j'ai ouvert la cage. Il est venu se poser sur mon épaule et il a commencé à lisser mes cheveux en jacassant des mots d'amour appris par cœur, pendant que je cherchais ma clé. J'ai caressé distraitement son plumage avant de jeter un coup d'œil par le trou de la serrure. Puis, j'ai déverrouillé la porte. « Je n'irai pas au travail aujourd'hui, me suis-je dit. C'est décidé. Je suis malade. Je ne dors plus. Ils comprendront ou me congédieront. De toute façon, je n'en peux plus de faire semblant que rien n'est arrivé. Ce n'est pas rien de perdre sa mère. Et d'être larguée sans raison la même année. Jeff, j'ai droit à des explications valables. Je veux des explications. Qu'est-ce que j'ai bien pu te faire? À moins que ce ne soit ma bouche qui te gênait. Tu ne serais pas le premier à faire semblant de regarder sans dégoût. Puis, à la longue, ce devait être difficile pour toi de feindre. J'en sais quelque chose. »

✲

Quatre jours après les funérailles de ma mère, je suis allée rencontrer le notaire pour régler la question du testament. Ce n'était qu'une formalité puisque j'étais officiellement orpheline. J'ai failli m'évanouir lorsqu'il me divulgua le montant du legs. Des « peanuts » pour le gouvernement, mais une somme considérable pour moi. Je n'ai pu retenir un petit cri de joie. « Mon Dieu, merci. Je vais enfin pouvoir me payer des pinceaux et de la toile à volonté. Peut-être même arrêter de travailler. »

Dire que ma mère avait les moyens d'engager une infirmière privée pour s'occuper d'elle! Elle avait bien caché son jeu. Les comptes de banque auxquels j'avais eu accès contenaient à peine l'argent nécessaire pour payer les factures du mois. « Elle a dû faire exprès pour m'empoisonner la vie », ai-je pensé. Je savais qu'on ne devait pas parler des morts comme ça, mais je méritais bien cet argent, après tout ce que j'avais fait pour elle ces derniers temps. Et aussi depuis l'accident. Elle m'appelait toujours la nuit pour pleurnicher dans mes oreilles. Elle savait que je souffrais d'insomnie. Elle profitait de moi au lieu de m'épauler.

Mon premier réflexe avait été de vouloir laisser mon emploi mais, après mûre réflexion, j'ai opté pour un congé sans solde, histoire de ne pas agir sur un coup de tête. De toute façon, je n'avais pas l'esprit assez clair pour prendre une décision. Le manque de sommeil me laissait, en permanence dans la bouche, un goût amer de vin bon marché. Je ne voulais pas faire de folies et démissionner, car le labo et les collègues demeuraient mon seul univers tangible. Alors j'ai attendu.

Après un mois et demi de congé sans solde, j'ai appelé le directeur du laboratoire pour l'informer que ma décision était prise. Je ne reviendrais pas avant le début de l'année suivante. Il me fallait plus de temps. Il était content de voir que j'allais mieux. Il garderait ma place. Je n'avais qu'à prendre contact avec le personnel des ressources humaines pour signer les formulaires de prolongation. « Tout rentrera dans l'ordre », m'a-t-il encouragée. C'était exactement ce que je souhaitais entendre. Tout de suite après, j'ai eu envie d'appeler Édith.

– Tu viens souper avec moi ?

– Je ne peux pas.

– Oh ! Tu as planifié quelque chose ?

– Un engagement de longue date.

– Ah ! Bon.

– Un autre soir, peut-être. As-tu eu des nouvelles de Jeff ? S'est-elle informée.

– Non, pas encore. C'est carrément insupportable. Tu me comprends ? Ah ! Bon. Et tu me conseilles de dormir ?

– Pour passer au travers, c'est plus facile.

– Tu as raison, il ne mérite pas que je m'inquiète pour lui.

– Ta mère doit beaucoup te manquer.

– Tu es folle ou quoi ? Je ne me suis jamais sentie aussi bien de ma vie. Au fait, peux-tu m'apporter du fil de soie, je n'ai pas envie de sortir aujourd'hui.

– Que veux-tu faire avec ça?

– Du tricot voyons, quoi d'autre? Ma mère faisait cela pour tuer le temps. Elle savait au moins faire cela. J'essaierai un châle, une nappe, je ne sais pas encore. Je verrai.

– Quelle couleur veux-tu?

– Du blanc.

– Des couleurs vives seraient plus appropriées.

– J'en ai déjà, il ne me manque que du blanc.

– J'irai ce midi.

– Merci. Si tu vois que je dors, laisse le paquet dans la boîte aux lettres. En passant, as-tu encore ma clé? Tu veux la ramener s'il te plaît? Je vais faire changer les serrures.

– Encore?

– Je n'ai pas envie de me faire cambrioler de nouveau. Le voleur pourrait revenir la nuit et comme je prends des somnifères, je n'entendrais rien.

– Tu les as changées après le vol.

– Tu es sûre?

– Certaine.

– OK. Je vais aller me reposer.

– Ta mère veille sur toi.

– Oui, je sais. Elle est vraiment très présente, malgré tout. »

J'ai raccroché le combiné avec précaution comme si je craignais qu'un faux mouvement ne fasse exploser la maison. Je réfléchissais à un insurmontable problème. « Elle s'est encore trouvé une excuse pour ne pas venir chez moi. Je suis persuadée qu'elle ment. Je le sens. J'aurai sûrement l'occasion de la piéger. Quel jour sommes-nous? Le vendredi 4 août? Je vais le noter et une bonne fois je lui redemanderai avec qui elle a soupé ce vendredi-là. Je suis sûre qu'elle va rougir jusqu'aux yeux en bafouillant le premier nom qui lui viendra en tête. Je prendrai soin de le noter aussi pour lui redemander plus tard en insistant sur l'endroit où ils sont allés et sur ce qu'ils ont mangé. Elle verra bien qu'on ne m'en passe pas aussi facilement! Elle n'a pas besoin de me faire cela. Je peux entendre un « Non, je préfère rester tranquillement à la maison » ou « Je ne me sens pas bien ce soir ». Je n'aurais pas insisté plus de deux fois. Histoire de m'assurer qu'elle était sincère et qu'elle ne disait pas cela en croyant me déranger.

J'aurais pu lui dire: « Édith, tu mens. » Elle aurait ri et m'aurait conseillé d'aller me reposer. Pire encore, elle m'aurait traitée de folle. « Comme toi maman. Comme toi, elle aurait cessé de m'aimer pour ça. Parfois on n'aime plus les gens pour des niaiseries pareilles. Que dis-tu, maman? Je n'ai pas intérêt à lui parler de la sorte? Je la ferais fuir? Ah! Bon. Mes amies sont trop rares pour que je les énerve avec ça? Tu crois encore que je t'ai menti, maman? Arrête tes sermons. J'étais à une fête. Pour le Nouvel An. Tu dormais déjà quand je suis partie. Je ne t'ai rien caché. Tu n'avais qu'à demander. Il y a assez de Jack qui voulait tout savoir. Arrête, sinon je ne te parlerai plus jamais. Non, jamais. Quoi? Je ne veux pas te revoir? Ce n'est pas ça. Non, je te dis que ce n'est pas ça. N'insiste pas, je n'irai pas te rejoindre. Je suis libre maintenant. Maintenant, je déclare que j'existe. Pour moi. Arrête ton chantage. Tu ne me fais pas peur. Seule la mort me donne des frissons. As-tu aimé tes funérailles? »

Je me suis levée lentement, hypnotisée par la voix que j'entendais comme un écho:

– Vous avez des yeux magnifiques… vos yeux sont magnifiques…

– Jeff? C'est toi? Tu es revenu?

– Jeff? C'est toi? Tu es revenu?

– Fruit Loops. Arrête de te moquer de moi. Ce n'est pas drôle.

– Nooooooooooooon… pas drôle.

Ensuite, j'ai organisé mon horaire de la journée comme elle m'avait appris à le faire. « Il faut des plans, sinon on est incapable de faire face à la musique. » Mais par où commencer? Le ménage des photos? Numéro un. Le serrurier? Deux. L'épicerie? Deux et le serrurier viendra en troisième. Lire mes courriels. Voir d'abord si j'en ai. Avant toute autre chose. Tout de suite. Demain, il sera trop tard. Zut! Aucun nouveau message. Il faudrait que je lui en envoie un. Non. Trop pathétique. Je ne me mettrai pas à genoux devant lui. Je ne lui donnerai pas l'occasion de refuser mon invitation. Mets-moi à l'épreuve, hein? On verra bien qui des deux fera les premiers pas.

Les photos

Je suis retournée dans la chambre aux fantômes. J'ai ouvert la grosse malle de cuir remplie de photographies prises par mon père. Puis, je l'ai vidée sur le couvre-lit en pou-de-soie que ma mère avait acheté au bazar d'antiquités. Vues d'un certain angle, les côtes de passementerie ressemblaient à des chenilles de velours vertes. J'ai caressé le taffetas du revers de la main. Dans un élan de compassion, j'ai tenté d'agripper une chenille entre le pouce et l'index. Je voulais la sortir de là. Cette chambre était malsaine. « Tu ne veux pas décoller de ta feuille? Essaie de bien manger, petite chenille. Tu deviendras un beau papillon. »

J'ai fouillé dans la pochette intérieure de la malle et j'ai mis la main sur un paquet de photos inédites. « Qui est cette enfant? Sûrement pas moi. Je n'étais pas si laide quand même. » À l'endos des clichés vieillis, j'ai remarqué l'inscription : *Louise à sa première communion.* « Maman? Comment pouvais-tu être si laide et devenir si belle en vieillissant? Mon Dieu! Ai-je de l'espoir aussi? Quelle transformation! Toi aussi, tu avais un bec-de-lièvre? L'opération a bien réussi. Rien ne paraît. Tes parents ont dû payer une fortune à cette époque. Pourquoi ne m'as-tu pas fait opérer moi aussi? Tu l'as fait? Non, Jack a payé pour moi. Ça ne paraît pas? C'est faux. Mes lèvres sont bien plus belles. J'ai encore des cicatrices? Puis après? Je ne serai jamais parfaite comme toi. Arrête de me déranger. »

Je me suis précipitée vers le miroir le plus près, mais je n'ai pas osé regarder. Je savais ce que j'y verrais. Il fallait refaire l'opération. Je devais m'informer auprès de mon médecin. « Demain », ai-je pensé. Non. « Tout de suite. » J'ai composé le numéro de la clinique.

— Il n'est pas là.

— Savez-vous quand je pourrai le joindre?

— Il est absent pour quelques mois. Voulez-vous voir un autre médecin?

— C'est urgent, j'ai un bec-de-lièvre et je veux me faire opérer.

— Vous devez rencontrer un spécialiste et il vous faut une référence.

— Qui va me la prescrire?

— Je peux vous donner rendez-vous avec un autre médecin, si vous voulez.

— Y a-t-il une autre solution plus rapide?

— Allez à l'urgence.

— Pour un bec-de-lièvre ? Je vais y penser.

J'ai raccroché, découragée. « Il aurait pu choisir un autre moment pour prendre une sabbatique, me suis-je dit. Je vais en parler à Édith. Elle pourra peut-être me conseiller. Attendre, toujours attendre. Comme si je n'avais que cela à faire dans la vie. »

Je suis retournée à mes photos. Il devait bien y en avoir trois cents. Toutes éparpillées. Sans ordre chronologique ni catégories thématiques. Ce n'était pas facile de s'y retrouver. Je cherchais désespérément les miennes. Une mariée cherchant sa bague dans une botte de foin. « Est-ce toi, maman ? Que faisais-tu dans la grange ? Avec qui étais-tu ? Que disait papa ? Est-ce mon oncle à tes côtés ? Où suis-je dans ce fouillis ? Tu ne peux quand même pas m'avoir rayée de ta vie comme ça. Je devais avoir une signification dans tes souvenirs, non ? Rien que des photos de noces. » Plus je les éparpillais, moins je trouvais celles que je me rappelais avoir vues étant enfant. J'ai regardé dans la garde-robe. Il y avait une boîte de bottines de bébé contenant les quelques photos de mon enfance. Aucune de mes frères ni de ma sœur. « C'est juste ça, maman ? Toute mon enfance figée dans une boîte de chaussures trop petites ? Pourquoi as-tu jeté les autres ? Il y en avait tellement. Papa nous photographiait tout le temps. Comment a-t-il pu faire d'aussi belles photos avec un visage comme le mien ? Tiens, la plupart ont été retouchées. Un contour de lèvres au crayon rouge. Et ce montage audacieux. Mon visage en plein milieu du décolleté de maman. Un inséparable pendentif. Et celle-ci, prise en plongée alors que je te regardais telle une apparition. Comme si tu m'apercevais à travers un œil magique. Mon visage était gros, déformé, prêt à exploser. Au moins, on ne remarque pas mes lèvres. Je pense que je vais les classer dans un album. Ce serait plus joli. »

En déplaçant la boîte de chaussures, j'ai découvert un cocon à l'intérieur du couvercle. Je l'ai décollé doucement pour ne pas le rompre, puis je l'ai déposé dans ma paume comme un objet précieux. Délaissant les photos, je me suis précipitée dans le boudoir et j'ai placé ma trouvaille sur un amas de factures impayées. « Donne-moi quelques minutes et je reviens. Je te trouverai un petit nid plus confortable. Surtout loin des mauvais esprits de cette chambre. Tu dois te développer en toute tranquillité, petite chenille, si tu veux devenir un beau spécimen. »

J'ai couru vers la cuisine et je suis retournée dans le boudoir avec un pot de confitures vide. J'avais pris soin de le remplir à moitié de boules d'ouate avant d'y placer mon cocon. J'ai remis le couvercle, puis je l'ai placé sur la plus haute tablette de la bibliothèque. Après un moment d'hésitation, je l'ai repris pour l'approcher du calendrier. « Regarde comme tu seras beau. Au moment opportun, tu vas te libérer et tu pourras voyager, toi aussi. Je t'aiderai. Je connais bien les papillons. Ils sont mes amis. » Satisfaite, j'ai déposé mon trésor dans la bibliothèque et je suis retournée à mes photos.

Devant l'ampleur de la tâche, je me suis ravisée. J'ai empoigné la pile comme une brassée de linge sale et j'ai remis le tout dans la valise. « Je ferai cela une autre fois. Je suis fatiguée. J'en ai assez fait pour aujourd'hui. Je devrais apprendre à me reposer. Surtout ne rien faire. C'est difficile de rester à ne rien faire. Il me semble que je ne pourrai jamais commencer à vivre si je ne fais rien. Je dois avoir le courage de faire des expériences, de prendre des risques, de voir des gens. Non, pas des gens.

Je ne veux voir personne. Les humains sont méchants. Je ne peux leur faire confiance. Regarde la fille au téléphone l'autre jour. Elle faisait un sondage. Pour sonder quoi tu penses ? Si j'avais un système d'alarme. Je ne me suis pas méfiée, tu vois. J'ai refusé de rencontrer le représentant et hop. Comme par hasard, je me suis fait voler le lendemain. J'ai appelé la police mais, bien entendu, on ne m'a pas crue. Cette entreprise a une excellente réputation. Alors c'est encore moi qui suis passée pour folle. C'est toujours moi qui ai tort de toute façon. Cela ne changera pas demain matin. »

J'ai fixé le grand lit de ma mère et m'y suis allongée quelques heures. Plus tard, je me suis réveillée en sursaut. J'avais faim. « J'espère qu'il reste des choses à manger. Je n'ai pas envie de sortir. » Il n'y avait que de la laitue et des yaourts. Je me suis préparé une salade. « Une chance que je suis à la diète. Avec un peu d'huile d'olive et du vinaigre balsamique, ce sera parfait. »

Le reste de la soirée se débobina lentement. J'ai marché de long en large dans le couloir en récitant des poèmes appris par cœur à l'époque où, adolescente, j'avais de la difficulté à m'endormir. Le truc du couloir était devenu la seule façon pour moi de préparer mes examens sans paniquer. Chaque fois que je le pouvais, j'arpentais le couloir cul-de-sac. Une fois arrivée à un bout, il fallait prendre une décision : tourner à droite ou à gauche. Dans cette nouvelle maison, à Montréal, où nous avions déménagé, cette fâcheuse année de secondaire, l'année de tous mes malheurs, si j'allais à droite c'était ma chambre, à gauche celle de ma mère. À l'extrémité opposée, il y avait le boudoir d'un côté et le salon de l'autre. En plein centre, je pouvais mettre un terme à ma promenade en tournant vers la cuisine ou vers le vestibule. Mais, si je sortais tout de suite après avoir commencé ma récitation, mes angoisses n'étaient pas évacuées et elles revenaient me hanter de plus belle.

Grâce à ma sœur, j'ai pu enrichir mon répertoire limité. Deux mois avant de mourir, elle m'a offert une boîte de livres achetés dans une bouquinerie. J'ai encore la boîte intacte. Il y a quinze romans et deux recueils de poésie. J'ai passé de nombreuses nuits blanches à lire tous ces livres. Au moins deux fois. J'aimais bien Nelligan. Mais mon recueil de poésie préféré est *Les Fleurs du mal* de Baudelaire. Des poèmes très touchants. Comme « Spleen ».

Réciter ce poème procédait de la magie. Finie l'angoisse. Finies les folies. Aussitôt, je pensais à mon père. J'érigeais une pierre tombale et j'y faisais des graffitis.

J'ai passé de longues soirées à la maison à user les lattes du plancher en récitant un bout de texte. Mon père n'était jamais là. Ma sœur non plus. Mes frères étaient en âge de jouer dehors, sans surveillance. Ma mère disait que je la rendais folle. Je lui répétais la même chose. C'était la guerre des nerfs. Dès que mon père rentrait, je m'enfermais dans ma chambre. Je ne voulais pas l'énerver. En sevrage, une fois sur deux, il faisait de gros efforts pour être gentil avec nous, mais c'était difficile. Lorsque je voulais confronter ma mère, je tournais à gauche, en ralentissant graduellement la cadence. Ensuite je m'arrêtais complètement, je cognais jusqu'à ce qu'elle m'accorde le droit d'entrer. Ma mère avait cet effet-là sur moi: elle m'obligeait à ralentir avant de m'arrêter complètement figée, face à une porte close dans l'attente d'une réponse.

✿

Tel que je l'appréhendais, je n'ai pas pu trouver le sommeil à l'heure désirée. J'avais trop dormi pendant la journée. Comme d'habitude, j'ai avalé un somnifère. J'ai ensuite traîné mes pas jusque dans le boudoir. En ouvrant les stores, j'ai recréé mon monde de zèbres. J'ai biffé la dernière date avant de soulever la page du calendrier pour changer de mois. « Enfin, le mois d'octobre. Quelle étrange photo ! » Au cœur d'une forêt d'épinettes noires, se profilaient trois arbres desséchés, remplis de cocons géants, enchevêtrés dans des cheveux d'ange. Ils avaient l'air d'attendre que la main de l'homme vienne installer le reste des décorations. « On croirait un arbre de Noël. »

Puis, me rappelant que j'avais quelque chose de nouveau à regarder, je me suis étirée pour atteindre la tablette du haut. J'ai attrapé le pot de confitures que j'avais rebaptisé le couvoir à papillons. « Bonne nuit mon petit. Que veux-tu faire quand tu seras grand ? Voyager ? Boire des larmes d'animaux ? Ou du nectar de fleurs ? Coller tes pattes sur des fruits pourris ? En tout cas, fais en sorte de ne pas te faire attraper par le collectionneur de papillons. Il pourrait te faire du mal. Et tu resterais épinglé au tableau de chasse. Éloigne-toi aussi des toiles d'araignées. Le supplice serait encore pire. L'araignée chasseuse pourrait te paralyser avec son venin, avant d'injecter des liquides digestifs dans ton corps à sa merci. Elle sucerait ensuite son contenu, ne laissant qu'un exosquelette vide, sans attrait pour les photographes. N'aie pas peur, petit papillon. Je te protégerai. Viens voir, c'est ta famille. On dirait ton arbre

71

généalogique. Au premier coup d'œil, cela peut sembler amusant de vivre en communauté, mais à la longue, tu te fâcherais. Ce sont toujours les mêmes nymphettes qui ont droit aux privilèges et aux premières loges. On croit à tort qu'elles sont bien protégées dans leurs boules de Noël, mais un pyromane pourrait passer par là et les brûler vives sans crier gare. Au moins ici, tu es sous ma protection. Je ne laisserai personne t'approcher. Et Fruit Loops n'est pas dangereux. Il est domestiqué et nourri comme un roi. De toute façon, il ne saurait pas quoi faire de toi. Il me regarderait avec ses grands yeux larmoyants en disant : "Brigitte, est-ce comestible ? Je suis granivore, puis-je manger un papillon ?" Je n'aurais qu'à le regarder sévèrement en pointant mon index dans sa direction pour qu'aussitôt il baisse la tête, implorant ma pitié. Non, il n'y a pas de danger. »

J'ai remis le pot à sa place, avant de m'affaler sur mon grand zèbre. Je me suis enroulée dans le châle de soie. Après un moment d'hésitation, j'ai mis le magnétophone en marche.

– « Que faites-vous avec ça ? Vous m'enregistrez ? »

« Oui, c'est ici. Toujours au même endroit. Je vais essayer de ne pas m'endormir trop vite cette nuit. Je commence à oublier. Il faut que je me souvienne. Je pourrai lui raconter cette belle soirée dans ses moindres détails dès qu'il me rappellera. Je suis persuadée qu'il serait content que je me souvienne de tout cela. » J'ai rembobiné la cassette de quelques centimètres, puis j'ai enfoncé de nouveau la touche *play*.

– Vous m'accompagnez pour un dernier verre ?

« Un petit peu avant je pense. »

– Je travaille. C'est mon métier.

« C'est bien ici. »

— Recherchiste. Je ne fais pas d'entrevue. C'est pour prendre des notes.

— Vous prenez des notes sur moi?

— Des notes sur vous? Non. Ne touchez pas s'il vous plaît. »

Pauvre Jeff. J'ai dû remettre le magnétophone dans mon sac à main pour éviter qu'il efface mon enregistrement. Mais c'était plus fort que lui. Il voulait savoir ce que j'avais enregistré. Il ne tolérait pas que j'aie mes petits secrets. Mine de rien, il était jaloux de cet accessoire. Il le traitait comme un rival. Il voulait que je laisse tomber les notes, que j'oublie le magnétophone. Je devais choisir entre lui et cet objet. J'ai laissé tomber temporairement. Je voulais profiter de notre soirée en tête-à-tête.

J'ai fait semblant d'acquiescer, mais il était ma vedette et je voulais suspendre le temps. Aujourd'hui, je me félicite d'avoir continué. Je peux ainsi le rejoindre toutes les nuits. Et retourner en arrière pour retrouver un peu de cette mémoire qui me fait si souvent défaut. Mon magnétophone me donne ce pouvoir-là sur Jeff.

— Vous m'intriguez.

— On peut se tutoyer? J'ai l'impression de discuter avec un notaire.

C'est vrai que tu étais un peu plus âgé que moi. Mais tout de même. Il y a des limites à la condescendance.

— Bien sûr, ma jolie. Tout ce que tu voudras.

Je ne peux pas croire que je l'ai laissé me parler comme cela.

— Si nous allions marcher un peu? ai-je proposé.

— Vers les ascenseurs?

— Si tu veux.

Oui, j'étais décidée à tout faire ce soir-là. Pour oublier. Pour me faire aimer. Être désirée par lui. Il m'a prise par la taille, tout doucement. Je l'ai regardé de biais. « Un autre siècle, une autre époque », disait-on. Qu'est-ce qui a bien pu changer? Rien. Les hommes demeurent aux aguets et les femmes prêtes à tomber dans leurs filets.

— Tout de suite? Et si on prenait un dernier verre? ai-je suggéré.

Il en a pris deux, coup sur coup. J'avais proposé cela pour me donner du courage et gagner du temps. Il m'a prise au mot. C'est comme cela que certains gestes explosent, sans réfléchir, dans l'impulsion du moment. Et c'est souvent la nuit que ces actions s'inscrivent dans notre mémoire. Moments inavoués pendant lesquels la femme devient aveugle et l'homme veut la guider. C'est aussi la nuit que l'on confond le plus souvent confiance et confidences. Passion et déraison. Amour et dépendance. Une première nuit et déjà la crainte que ce soit la dernière. Une nuit dont je me souviendrai longtemps ou que je chercherai toujours à oublier.

— Serveur? Du champagne dans la 2016, s'il vous plaît. Tu es belle.

— Merci.

Je soupirais et il riait. Il respirait bruyamment tel un buffle.

L'hallucination

Je me suis fait réveiller par la sonnerie du téléphone. C'était le serrurier. Il voulait confirmer le rendez-vous. Je ne m'en souvenais pas.

— Je n'ai pas besoin de faire changer mes serrures.

— Vous avez pourtant pris rendez-vous hier.

– Vous êtes déjà passé le mois dernier. Après le vol.

– Il doit y avoir une erreur. Désolé.

– Pas besoin de vous excuser. Je comprends. Cela m'arrive souvent de me tromper aussi.

Je me suis étirée. Selon le petit rituel, j'ai rangé le magnétophone, libéré mon oiseau, jeté un coup d'œil en direction du couvoir à papillons avant de me pencher pour regarder par le trou de la serrure. La voie était libre. En arrivant dans la salle de bains contiguë à la chambre de ma mère, j'ai reculé de quelques pas, effrayée. « Qu'est-ce qui s'est passé ici ? Maman ? As-tu encore fait des tiennes ? » Le couple d'aras piquait du nez en direction du lavabo. J'ai analysé le problème avec tout le sérieux que la situation requérait. En m'approchant, j'ai remarqué que le ruban gommé s'était détaché d'un côté, laissant l'affiche pendue par une seule extrémité. Je l'ai replacée soigneusement et j'ai attendu un moment, plantée là, avant de procéder à ma routine. Tout est rentré dans l'ordre. J'ai soulevé le coin gauche, j'ai regardé si j'existais encore, puis, bombant le torse, j'ai répété à voix haute avant d'ingurgiter mes vitamines : « Vas-y, Brigitte Lévesque, t'es capable. Tu es ta seule ennemie, alors, fais gaffe. »

J'ai rabaissé l'affiche. Puis, j'ai sursauté de nouveau. À cet instant précis, j'ai senti que quelque chose se passait. Paralysée par la crainte de voir un fantôme, je suis restée sans bouger pendant de longues minutes, à l'affût d'autres indices. Rien. Plus aucun bruit. Je me suis retournée lentement et, voyant le reflet de mes cheveux sombres dans le miroir, je me suis mise à crier en quittant la pièce aussi vite que je le pouvais. « Ouach ! Il y a une sorcière dans la maison. Maman ? Arrête de me faire peur, veux-tu ? Je suis à bout. J'ai besoin de repos, alors laisse-moi tranquille un moment. Maman ? M'entends-tu ? Je ne veux pas avoir à le répéter. Ce n'est pas drôle du tout. Va-t'en et fiche-moi la paix. »

Je suis allée chercher du ruban gommé dans le boudoir pour fixer l'affiche plus solidement. « Tant qu'à faire, je vais prendre le couvoir pour le placer dans un endroit plus sombre, me suis-je dit. Et puis, non. Une chose à la fois. Je règle le problème de la salle de bains et je reviens te voir, mon petit. Est-ce que je peux t'appeler mon Petit Sylvain ? Ou mon beau prince des monarques ? À moins que tu ne préfères le Grand-Porte-Queue. Non, sûrement pas. Ta maman aurait dû faire beaucoup trop de kilométrage pour venir jusqu'ici. Allons-y pour un mélange : le petit prince des monarques à queue. »

Quand je suis revenue dans la salle de bains, l'affiche était bien en place. « Est-ce que j'hallucine ? Je suis pourtant certaine que l'affiche était décollée et qu'elle pendouillait. » J'ai regardé autour de moi avant d'inspecter la penderie, sous le lit, derrière les rideaux. Personne ne s'y cachait. Je suis retournée voir mon affiche et j'ai constaté que le couple d'aras reprenait son élan vers le ciel. « Est-ce que je rêve ou quoi ? Les oiseaux piquaient du nez tout à l'heure alors qu'ils s'envolent dans l'autre direction maintenant. C'est à n'y rien comprendre. Je dois avoir la berlue. »

Le courriel

J'ai préparé mon plan de la journée. « Le ménage des photos. Prise deux. Mais en premier, vérifier si Édith m'a apporté les fils de soie. Faire un peu de ménage.

Trois. Laver mes cheveux, ma tête pique. Quatre. Lire mes courriels. Tout de suite. » Je me suis précipitée dans le boudoir. J'ai allumé l'ordinateur. Quatre nouveaux messages. « Pas bon, poubelle, poubelle, tiens, qui c'est? Habanera@hotmail.com. » « *Bonjour, Brigitte. J'espère que tu ne m'en veux pas trop de ne pas t'avoir donné de mes nouvelles avant. On m'avait dit que tu étais retournée auprès de Jack, mais j'espère que ce n'est pas vrai. Je suis en voyage d'affaires à l'étranger depuis plusieurs mois et je prévois revenir le 31 octobre prochain. J'aimerais beaucoup te revoir. Je pense souvent à toi, mais tu comprendras qu'à cause de mon travail, qui me tient tellement occupé, je ne suis pas en mesure de faire des plans à court terme. Malgré cela, je veux que tu saches que je tiens énormément à toi et j'espère que tu voudras bien me revoir dès mon retour. Puisque je voyage beaucoup, je ne peux être rejoint par téléphone, mais tu peux m'envoyer des courriels. Je les lis régulièrement. Jeff* »

« Enfin, des bonnes nouvelles. Je me doutais bien que cette aventure n'était pas qu'une amourette sans lendemain. Je le sentais. Merci mon Dieu. Attends que j'annonce ça à Édith. »

J'en oubliai le plan de la journée. J'ai dû refaire le parcours, du boudoir jusqu'à la cuisine, pour revoir les prochaines étapes. « Avant tout, appeler Édith le plus vite possible. Ensuite, le reste. »

— Tu ne me croiras pas. J'ai reçu un courriel.

— Enfin. Ce n'est pas trop tôt.

— Il va revenir à la fin du mois.

— Tu y crois?

— J'ai le courriel devant moi, veux-tu le voir? Oui, oui. Le 31 octobre. Il ne peut pas avant, il est en voyage d'affaires.

— Je l'ai vu au centre-ville hier.

— Comment ça tu l'as vu? Impossible. Il est à l'autre bout du monde.

— Où?

— Précisément? Je ne sais pas.

— C'est bizarre. J'étais certaine de l'avoir vu.

— Arrête de trouver ça bizarre. Tu as dû te tromper, son adresse courriel sonne espagnol.

— Ça n'a aucun rapport. Il pourrait provenir de ton voisin.

— Qu'est-ce que mon voisin vient faire là-dedans?

— C'est une façon de parler.

— Arrête de parler en paraboles. Il n'a pas pu l'écrire d'ici, il est en voyage. On dirait que tu souhaites juste mon malheur. Tu n'es même pas capable de te réjouir pour moi.

— C'est faux.

— Toi et ton intuition.

— As-tu vérifié ta boîte aux lettres?

— Non, pourquoi?

— Ta laine.

— Non, c'est du fil de soie que je t'avais demandé. Peu importe, c'est pour tricoter. Merci. J'irai voir tout à l'heure. La clé, garde-la, finalement. Je ne changerai pas les serrures maintenant.

— Veux-tu venir au cinéma avec moi? Ça te changera les idées.

— Non, merci. J'ai d'autres plans.

— Un autre soir alors.

— Nous verrons.

— Bonne soirée.

« Si tu crois que tu vas me faire peur avec tes visions. Que tu vas empoisonner ma vie avec tes suppositions sans que je réagisse, tu te trompes. Jeff est en voyage et il va revenir me voir. Jalouse, va. Et tu voulais m'amener au cinéma comme si je n'étais pas capable de tout simplement t'accompagner au cinéma. Me prends-tu pour une enfant? Tu n'es pas près d'avoir de mes nouvelles. Je ne t'appellerai plus, tu m'entends? Je verrai bien si tu es mon amie. Pour vrai. Si c'est le cas, tu vas faire les premiers pas et t'excuser. »

Je suis allée retirer le paquet de la boîte aux lettres. J'y ai trouvé un cadeau et une jolie carte dont le texte était écrit à la main. *Prends bien soin de toi, Brigitte, tu nous manques au labo. Surtout, ne fais pas de folies. Grosses bises affectueuses. Évelyne, Valérie, Janik, Pierre, Denise, Françoise, Édith, Alain, Lise, Dominic, Marc, Maxime, Raymonde, Guy, Daniel, Jeanne, André, Élise, Francine, Jacques, Mathieu, Julie et la nouvelle réceptionniste Britany.*

Je n'étais pas habituée à des manifestations d'amitié, mais j'appréciais ces moments privilégiés. J'ai longtemps admiré l'image de la carte de vœux : à la brunante, deux éphémères en pleine séance d'accouplement se détachaient de l'essaim, en se laissant emporter, en chute libre par le vent. Pour la première fois depuis des mois, l'envie de peindre m'est revenue. Cette nuit, peut-être. J'ai défait le paquet après avoir déposé la carte bien en vue sur la table de la cuisine. J'ai trouvé trois boules de fils blancs, enveloppées dans du papier de soie bleu nuit. « Quel étrange cadeau ! Que veut-elle que je fasse avec ça ? »

J'ai révisé mon plan de match. « Ah oui ! Les photos. » Je me suis précipitée dans la chambre, j'ai sorti la grosse malle et je l'ai vidée de nouveau sur le couvre-lit. « Commençons par le commencement. Je vais faire des piles, selon les années, par sujet. » J'ai passé une bonne partie de la matinée à faire le tri. À quelques reprises, je me suis levée pour prendre un verre de jus, marcher un peu, vérifier l'affiche. Je ne me sentais pas à l'aise dans cette entreprise. Trop de visages inconnus, de postures étranges, de non-verbal illicite. Ma mère des photos ne ressemblait pas à ma mère décédée. Quelque chose clochait, m'échappait et je n'arrivais pas à mettre le doigt dessus. Même le souvenir de mon père ne collait pas aux images que j'avais sous les yeux.

Finalement, j'ai mis la main sur une des rares photos de moi, parmi ce fouillis. À l'endos, c'était écrit: *Brigitte.* Rien d'autre. Aucune date, aucune phrase pour raviver un souvenir. Je devais avoir deux ou trois mois. C'était l'hiver. J'étais emmaillotée comme une momie dans une enveloppe de peluche jaune. Un ourson brodé à la place du cœur. Je gisais au centre de la table de cuisine. Elle, debout à côté, avait un insondable sourire. Plein d'amertume, de regrets. Elle tenait ma sœur par la main.

Je me suis mise à crier. « Tu vois, maman, ce que je veux dire? Tu ne m'as jamais aimée. Je croyais être ta préférée. Non. C'était un leurre. Cette photo vaut mille mots. Tu me regardes comme si j'étais une fiente d'oiseau. Tu ne me touches même pas. Tu m'as laissée seule au beau milieu de la table. Avais-tu peur que je sois contagieuse? Avais-tu peur de salir tes gants de daim, ton beau manteau? Regarde-toi. Tu me fais pitié. Dire que durant les derniers mois de ta maladie, j'avais toujours envie que tu échappes un "Je t'aime" dans ton sommeil. Comme la fois où je t'ai aidée à te retourner dans ton lit. Tu t'es agrippée à moi telle une noyée. J'ai volontairement prolongé cet instant pour me gaver de tendresse. Je suis une carencée, maman. Découvrir cette photo maintenant me porte à croire que tes rares mots d'affection n'étaient que condescendance et vanité. Sans doute pour te donner bonne conscience avant de mourir. Je n'en peux plus, maman. Va-t'en. Sors de ma vie. » J'ai mis mes mains sur mes oreilles, incapable de me concentrer. J'entendais encore mon pouls en accéléré.

J'ai rangé les photos. Je suis demeurée longtemps figée, à observer la chambre. Faire un peu de ménage ou me laver les cheveux ? « Ça pique vraiment. Maman ? Qu'est-ce qui est le mieux pour soigner les poux ? As-tu encore du shampoing spécial ? Tu en as longtemps gardé sous le lavabo. Quelle horreur ! Des bestioles chez nous. Il y avait aussi le peigne fin bleu, des serviettes sous scellé dont l'enveloppe était étiquetée *À l'usage exclusif de la rentrée scolaire,* du vinaigre blanc, des taies d'oreiller de rechange. Pauvre maman. Je sais, je ne suis plus en âge d'attraper des poux, mais ma tête pique quand même. » Avant toute chose, écrire à Jeff. *Cher Jeff.* Non. Pas de Cher. C'est tout sauf cela. *Jeff, merci pour ta petite note.* Non. Pas de merci. J'hésitais. Après tout il me devait des excuses. *Jeff, quelle surprise !* Non, c'est faux. J'attendais des nouvelles de lui depuis plusieurs mois et il devait s'en douter. Comment répondre à un homme qui m'avait abandonnée sur le bord de la route comme un oiseau blessé ? *Jeff, comment oses-tu ?* Non, cela le ferait fuir. Bon, est-ce que je veux le revoir oui ou non ? Oui, mais pas à n'importe quel prix. Alors peut-être qu'en fin de compte, un amour à temps partiel ne serait pas si mal pour un temps. S'il veut me voir pour se faire pardonner, je peux sans doute faire certains compromis. *Jeff, comme le temps m'a paru long sans toi. Surtout avec la mort de maman, ma chère et tendre maman.* Non, je ne devrais pas trop en mettre, quand même. *Jeff, je t'attends le 31 octobre chez moi vers vingt heures. Si tu as un empêchement, appelle ou écris-moi, c'est ta dernière chance. Brigitte.* Parfait. Envoyé.

Ensuite, je me suis fait plaisir. J'ai fait jouer le premier album de Rufus Wainwright, à plein régime, pendant que je trempais dans un bain d'algues marines. Je n'avais pas osé le faire depuis la dernière crise de maman. Je l'entends encore crier que la musique était trop forte.

— Il chante comme une chèvre!

— Mais oui, maman, j'adore les animaux. Tu devrais le savoir. Je leur ressemble. Têtue comme une mule. Espèce de pie. Maudite cochonne. Tête de linotte. Queue de veau.

— Je veux du Pachelbel.

« C'est sans doute mieux pour une mourante », ai-je pensé. J'avais pris mon temps. Pour protester, elle avait lancé son flacon de pilules dans le couloir. En heurtant le perchoir de Fruit Loops au passage, le couvercle s'était enlevé, éparpillant les losanges rouges. J'ai eu si peur qu'il les avale, que je n'ai plus jamais tenté de lui imposer ce genre de musique. J'avais aussi mes torts.

La vente-débarras

Mes cheveux étaient encore enroulés dans une serviette lorsque Thomas, mon jeune voisin, sonna à la porte. Je devais ressembler à un hindou. « Bonjour, Thomas. Est-ce que ça va? Bien sûr que je connais ton nom. C'est normal que tu ne saches pas le mien. Je ne suis plus en âge d'être interpellée par la fenêtre pour venir souper. D'ailleurs, je connais également le prénom de tous tes petits amis. Oui, oui. J'ai un don. Non. Je ne suis pas une sorcière. Brigitte. Mon prénom est Brigitte. Non. Je ne suis pas la femme de Satan. Et encore moins une sainte. Ton père dit cela? Quoi? Que je suis une sainte ou une sorcière? Tu ne veux pas répondre? Ce n'est pas grave. Qu'est-ce que je peux faire pour toi? Tu as des choses à vendre? Du chocolat? Hum. J'adore le chocolat. J'en prendrais bien, mais je n'ai pas d'argent ici. Je dois passer à la banque cet après-midi. Tu peux revenir ce soir? Alors, à ce soir. » « Il est tellement mignon. Neuf, dix ans, tout au plus. Je me demande s'il a un costume pour l'Halloween? Je vais lui demander quand il repassera. Je pourrais lui proposer de l'aider à en fabriquer un. »

Nouveau plan de la journée. Banque, ménage, ménage, ménage. C'est sale. Encore la porte.

— Ding dong, Brigitte. Ding dong.

— Oui, oui, Fruit Loops, j'ai compris. Qui est là?

— L'épicerie.

— Je n'ai rien demandé. Quoi? Des laitues en feuilles, des mûres et des pêches? Des carottes aussi? Bizarre. On dirait de la nourriture pour clapier. Je ne m'en souviens pas. Il y a peut-être des jeunes qui s'amusent à me jouer des tours. Laissez tout de même la boîte et je passerai vous payer cet après-midi. Ajoutez-le à mon compte. Oui, oui. Celui de ma mère. Je passerai sans faute.

« Je dois commencer à faire de l'Alzheimer. »

Thomas est revenu tôt après le souper. J'ai acheté toute la boîte. Vingt tablettes de chocolat. Son père est venu me rencontrer ensuite. Il devait trouver cela étrange. Je lui ai menti. « C'est pour mes amis du labo. Ils adorent le chocolat. Je vais leur vendre et me rembourser en partie. Est-ce mal? Vous n'êtes pas venu pour cela? Vous faites une vente-débarras samedi? Quelle merveilleuse nouvelle! J'ai un service à vous demander. Venez. Oui, oui. Tous les meubles. Elle est morte et je n'en veux plus. Le prix que vous voulez, je ne connais pas ça. Cent dollars? Ça me convient. Essayez de venir les récupérer vendredi dans la journée, car je ne me couche pas très tard. Je dors mal ces jours-ci. C'est sûrement la mort de ma mère, le labo, les soucis. Vous savez comment c'est? Votre femme aussi, l'an dernier? Ah bon! Désolée. Merci. Je n'ai besoin de rien d'autre. Non, ce n'est pas nécessaire. Ou plutôt si. Accepteriez-vous de me vendre votre hamac? Comment ça lequel? En avez-vous un autre? À l'intérieur? Chanceux! J'aimerais beaucoup avoir un hamac. Peu importe, celui derrière, entre les deux arbres, serait parfait. Vous vous en servez encore. Je comprends. D'ici quelques semaines peut-être? Oh! Merci, merci. Faites-moi signe. Je vais l'installer à l'intérieur. » Cette nuit-là, j'ai dormi comme un loir.

Le documentaire

Au réveil, j'aurais voulu poursuivre le nettoyage de la maison, mais la motivation n'y était pas. J'avais omis de faire un plan. J'ai fouillé dans la réserve de cassettes vidéo, à la recherche d'un titre qui me divertirait. *Les Quatre filles du Docteur March*, *Roméo et Juliette*, *Histoire de fantômes chinois*, *Don Juan De Marco*, *Fenêtre avec vue*, *L'Homme qui murmurait à l'oreille des chevaux*, *La*

Leçon de piano, The Mystery of the mind. « Tiens. Qu'est-ce que c'est? Je ne me souviens pas d'un tel titre de film. C'est sans doute le documentaire sur la physiologie du cerveau, les mystères de la pensée humaine et les origines de la psyché que je voulais regarder, mais que Jack ne voulait pas voir. » J'avais appelé maman pour qu'elle me l'enregistre, car nous n'avions pas encore fait réparer le magnétoscope. C'était la première fois que j'osais lui parler depuis la veille du jour de l'An. Nous étions en froid. Pour des sottises.

C'était en février. Il y avait une tempête de neige. Je me rappelle que j'avais été obligée de sortir pour aller pelleter son entrée, car une crise d'asthme aiguë, provoquée par je ne sais quelle contrariété, l'avait forcée à appeler l'ambulance.

Tout ce que j'ai retenu de la première partie de ce fameux documentaire, c'est que le lobe frontal est le centre de l'émotion. « Vite, qu'on me l'enlève! » Puis l'éminent spécialiste a parlé des médicaments ou des drogues qui affectent la psyché de différentes façons, selon les individus. Il semble qu'aucun cerveau n'a la même composition chimique. Pas même ceux de jumeaux identiques.

Certaines drogues se substituent aux neurotransmetteurs naturels en stimulant les récepteurs correspondants alors que d'autres font tout le contraire. À ce moment-là, la drogue absorbée bloque les actions des neurotransmetteurs normaux en référant à des récepteurs antagonistes. Imaginons des milliers de petits lutins qui s'amusent à interchanger toutes les connexions des fils du central téléphonique dans la ville où nous habitons. Quelles conversations inattendues. Quelle confusion. Quel chaos. J'avais sûrement le central engorgé.

J'ai ressenti un grand vide tout au long de la matinée. Je pensais aux synapses et aux bouts de lobes en me demandant lesquels avaient été les plus endommagés dans mon cerveau. Et par quels phénomènes. Était-ce la mort de mon père ? Celle de ma mère ? La mort de ma sœur et de mes petits frères ? Ma dernière peine d'amour ? Mon unique peine d'amour ? Celle de toute une vie ? Celle que je n'oublierai jamais ? « Jeff, reviens vite, je t'en supplie. »

Le faux nom

La veille, après avoir promis à Thomas de lui acheter des chocolats, je suis allée à la banque, puis à l'épicerie pour payer mon dû et j'en ai profité pour faire un détour du côté de l'entreprise où Jeff travaillait. En réalité, c'était pour me convaincre que tout n'était pas terminé entre nous. J'ai menti à la jeune fille de la réception en prétendant que j'avais perdu son adresse personnelle et que je souhaitais le joindre. Puisque l'information est confidentielle, elle a refusé de me la fournir. Toutefois, elle a accepté de lui transmettre un message. Je ne sais pas ce qui m'a pris, mais j'ai donné un faux nom avec le numéro de téléphone d'Édith. En revenant à la maison, je l'ai appelée au labo. Elle ne semblait pas fâchée que j'aie fait une chose pareille. Elle comprenait mon désarroi. Elle a promis qu'elle m'avertirait aussitôt que quelqu'un appellerait pour Sophie Taeuber.

J'ai ouvert la fenêtre et j'ai crié à Thomas de venir me voir.

— Dis-moi, Thomas, comment s'appelle ton père ?
— Paul.

— Paul qui?

— Éluard.

— Tiens. Comme le poète français. Et ta mère?

— Morte.

J'ai failli faire un mauvais jeu de mots: « Comme la mer », mais j'ai pincé les lèvres.

— Oh! Excuse-moi. Je ne savais pas qu'elle était morte. Ça fait longtemps?

— Un an. Mon père vous l'a dit hier.

— Oh! Je ne me rappelle pas. Et toi, tu as quel âge?

— Douze ans.

— Tu es grand pour ton âge. J'aimerais bien avoir un beau garçon comme toi.

— Je peux m'en aller maintenant?

— Oui, oui. Merci encore pour le bon chocolat. Dis à ton père de ne pas oublier mes meubles.

✵

Toute la soirée, j'ai attendu que Jeff m'appelle. Ou plutôt qu'Édith m'annonce qu'il avait enfin rappelé pour parler à Sophie Taeuber. Hélas! Le téléphone n'a pas sonné. Je n'avais pas sommeil. Je ne comprenais pas pourquoi j'avais deux dates à biffer sur le calendrier. J'étais pourtant certaine de l'avoir fait la veille. J'ai décidé de ne pas prendre de somnifères. Je suis demeurée au salon, près du téléphone une partie de la nuit. C'est complètement fou, je sais, mais je me sentais clouée à mon siège, incapable de m'éloigner plus de trente secondes sans m'inquiéter d'être allée trop loin. Je courais jusqu'aux toilettes et je revenais au petit trot. Aussitôt assise, l'envie me prenait de boire quelque chose, mais je m'en privais pour ne pas être obligée de retourner aux toilettes. N'ayant plus le goût de tricoter, j'ai décidé d'écrire. J'ai poursuivi mon journal intime. En fait, c'était un nouveau journal, car celui de ma jeunesse était plutôt acide. J'ai déchiré la dernière page. Celle du 3 novembre 1977. Date à oublier. À la place, j'ai écrit le mot *FIN*. J'ai ouvert le nouveau cahier, celui que j'avais trouvé en faisant le ménage. Ma mère y avait noté quelques articles à acheter. Surtout à l'épicerie. Puis une liste de choses à faire. J'ai remarqué : *Parler à Brigitte.* Je me demande bien ce qu'elle avait voulu me dire. Il sentait un peu la vieille cave, mais bon. Ce n'était pas grave. Il faisait l'affaire.

Cette nuit-là, j'ai noirci vingt-deux pages, recto verso. L'encre de mon stylo semblait illuminer la nuit d'un jet fluorescent. Je comprenais tout, je revivais tout. Mon pouls battait à la cadence de ma première nuit avec Jeff. « J'achèterai des draps neufs », me suis-je dit.

Épuisée, j'ai fini par m'endormir à l'aurore. Au petit matin, je me suis trouvée boudeuse et endolorie. J'ai appelé Édith au moins trente fois dans l'avant-midi. Non, elle n'avait reçu aucun appel. Non, elle ne m'avait pas oubliée. Je devais la laisser travailler tranquille. Elle ne pouvait pas appeler sa messagerie vocale toutes les cinq minutes. Je comprenais, mais c'était plus fort que moi. J'étais impatiente de savoir s'il allait donner suite à un message laissé par une inconnue. « Un homme reste un homme », ai-je pensé.

Aux environs de 10 heures, Paul est venu pour les meubles. Je l'ai guidé vers la chambre de gauche au bout du couloir. Il a pris son temps en défaisant le lit, puis a demandé à Thomas de courir chez le voisin pour qu'il vienne l'aider à transporter les meubles jusque chez lui. À 11 h 30, la pièce était vide. Complètement. Je leur ai offert un café, mais ils ont refusé. Ils étaient sans doute un peu mal à l'aise de me tenir compagnie. Paul a promis de m'apporter le hamac le lendemain. Je jubilais. Depuis le temps que j'en rêve.

Ils allaient partir quand j'ai proposé de confectionner un costume d'Halloween pour Thomas. Le père et le fils se sont regardés avant de me répondre. Thomas ne célébrait pas cette fête. C'était contre leur religion. Je n'ai pas insisté. Qui aurait voulu aller contre la volonté d'un père qui croyait en « sa religion »? J'avais déjà suffisamment de soucis. Je me suis demandée comment il me percevait. Comme une sainte ou une sorcière? Thomas ne m'avait pas répondu.

J'ai passé le reste de la journée à faire du ménage. Surtout dans la chambre de ma mère. C'était dans un tel état d'insalubrité. Une fois les meubles enlevés, j'étais dégoûtée de voir à quel point les murs avaient jauni. Et de constater que le plancher était taché sous les pattes des vieux meubles centenaires. J'ai même décollé une toile d'araignée dans le coin de la chambre à l'endroit où se trouvait la grosse commode. Dire que j'avais tout nettoyé après les funérailles. Une chance que je n'ai pas remarqué ça au moment où les hommes se trouvaient dans la chambre. Quelle honte! Je déteste la saleté. « Comme toi, maman. Je ne m'en sortirai donc jamais. Il faudrait que je laisse aller un peu les choses. Et si je faisais la grève du ménage? Je pourrais enfin dire que je ne te ressemble pas et te faire enrager un peu, là où tu te trouves. » Ce que j'ai fait, mais seulement après avoir nettoyé la chambre, car je devais installer le hamac le lendemain. J'ai donc décidé de ne plus toucher à un chiffon ni à une vadrouille jusqu'au 30 octobre, veille de la visite de mon amant.

En parlant d'amant, je me suis précipitée à l'ordi-nateur pour voir s'il avait répondu à mon courriel. « Vous avez un nouveau message. » « *Belle Brigitte. Tu aimais bien que je t'appelle BB, n'est-ce pas? Comme je suis heureux de lire que tu me pardonnes. Je souhaitais de tout mon cœur que tu ne sois plus fâchée contre moi et que tu acceptes de me revoir. Cette période d'éloignement m'a beaucoup fait réfléchir. Même si je n'ai pas grand-chose à t'offrir ni beaucoup de temps à te consacrer, j'aimerais que tu penses à m'ouvrir tes bras de nouveau. Je serai là pour toi le 31 octobre comme tu me le demandes. J'arriverai à l'heure. Ton Jeff.* »

« Je le savais. Je le savais. Il m'aime. Il m'aime. »

– Édith?

– Attends-moi trente secondes, veux-tu?

– Ouais…

– Qu'est-ce qu'il y a encore? Personne n'a appelé pour Sophie Taeuber.

– Ce n'est pas grave. Je viens de recevoir un courriel de Jeff. Il veut me revoir. Il m'aime et il dit qu'il ne peut vivre sans moi. Il arrivera le 31 octobre, comme prévu.

Édith demeurait silencieuse.

– Édith? Tu es là? Édith?

– Euh… Quoi? Excuse-moi, j'avais la tête ailleurs.

– As-tu compris ce que je viens de te dire?

– Oui. C'est parfait. Es-tu contente?

– Si je suis contente? OK, je te laisse travailler. Je vois bien que je te dérange. Ah! oui, j'oubliais. Connais-tu la théorie du chaos?

– Évidemment. Tout le monde connaît ça.

– OK, mademoiselle sait tout. Et la théorie des fractales?

90

— À quel jeu joues-tu au juste? Est-ce que je gagne quelque chose?

— Non, arrête de te moquer de moi. Je ne connaissais pas ces termes il y a deux jours et là, je n'arrête pas de penser à l'effet papillon.

— Écoute, Brigitte, je suis désolée, mais je n'ai vraiment pas le temps.

— Attends. Peux-tu me dire en trois mots ce qu'est la théorie des fractales? Celle-là, je ne l'ai vraiment pas comprise.

— Rapidement? Hum… C'est un principe mathématique. Si tu examines un détail, le « tout » réapparaît. Comme des figures géométriques réalisées à partir d'un même motif qui se répéterait une infinité de fois à l'intérieur d'elles-mêmes.

— Désolée, ce n'est pas plus clair.

— Regarde un chou-fleur. Chaque branche ressemble au chou-fleur entier. Et à l'intérieur de chaque branche, chaque sous-branche ressemble également à un chou-fleur entier. On pourrait continuer à décortiquer indéfiniment si c'était possible. Tu comprends?

— Ah, oui! C'est très bien l'idée du chou-fleur.

— Je dois te laisser. On se reparle plus tard.

— Merci, professeur, lançai-je en riant. Je me sentais savante.

☼

Je ne pouvais écrire que la nuit, comme lorsque je peignais. À la lueur de mon stylo magique, près de ma lampe d'Aladin et de mon pot de confitures de papillons, assise sur mon grand zèbre, j'inventais des histoires d'amour sans fin. Car mon histoire n'était pas finie. Au contraire, le dénouement venait à ma rencontre. Toutes les idées que je m'étais faites sur l'amour n'égalaient en rien la réalité que je vivais dans l'attente de le revoir. Stimulée par l'adrénaline déclenchée par ses courriels, j'appréhendais le meilleur et le pire. Mais l'angoisse de l'attente devenait impalpable, sournoise et invivable. À trop vouloir la circonscrire, j'ai fini par m'enliser. Et à force de manquer de sommeil, j'ai fini par ne plus faire la différence entre la couleur du ciel et celle des roses. Je m'habituais à cette lourdeur des paupières et à ce voile devant les yeux qui me gênait la vue, ainsi qu'à cette brume au cerveau, épaisse comme de la glu. Je revoyais notre baiser sous le houx. Je revivais nos ébats toutes les nuits.

Le hamac

En ce jour de hamac, Paul sonna aux alentours de midi. J'étais dans un sale état. Je ne m'étais pas encore coiffée ni lavée. À son regard, j'ai compris que je le dégoûtais. Il insista pour revenir une autre fois.

— Non, NON. Je veux mon hamac tout de suite, s'il vous plaît.

Il s'aventura dans le vestibule, en enjambant les journaux éparpillés, les vêtements qui traînaient. Il semblait inquiet et regardait derrière lui comme un enfant qui fuit sa mère. J'ai eu le goût de lui demander s'il attendait quelqu'un d'autre. Il a appelé Thomas et lui a dit d'aller chercher de la corde dans le garage.

— À quel endroit voulez-vous le hamac?

— Dans la chambre de ma mère.

« Voyons donc. C'est le seul endroit où il y a de la place », me suis-je dit impatiente.

J'étais vraiment désagréable avec lui. J'ai senti le besoin de m'excuser. J'avais passé une mauvaise nuit. Il comprenait. Il n'y avait aucun problème. Thomas est revenu avec la corde. Il m'a lancé :

— Vos cheveux. Qu'est-ce qui vous est arrivé ?

— Qu'est-ce qu'ils ont mes cheveux ? Tu n'aimes pas ma nouvelle coupe ?

— C'est comme un choc électrique. Vous ressemblez à Einstein.

« Pourtant. Je ne me sens pas une cent watts en ce moment », ai-je pensé. Mais je me suis mise à rire, sans pouvoir m'arrêter. Ils m'ont tous les deux regardée, puis, pour la forme, ils se sont mis à rire aussi. Je n'aurais pu dire s'ils riaient de moi ou avec moi.

Le hamac fut installé en plein centre de la pièce, suspendu au plafond par des crochets aux extrémités. Paul était un habile bricoleur. Il a pris le temps de trouver les poutres de soutien, à l'aide d'un petit marteau, avant de percer les trous et d'enfouir les chevilles de plastique dans lesquelles il visserait les crochets pour plus de solidité. Je l'ai regardé travailler en silence, assise en Indien dans le coin de la pièce. De temps à autre, je lui offrais un jus ou un café, mais il refusait toujours poliment. Malgré ma piètre expérience amoureuse, je pressentais qu'il devait être un amant attentif. Ses mains étaient sûres et fermes lorsqu'il perçait, tendres et patientes avec la corde, fortes et puissantes pour visser les crochets. Il a peut-être été incommodé par mes pensées, car ses joues rosissaient parfois.

☼

Cette nuit-là, j'ai dormi comme un bébé. Mes rêves furent peuplés de mains d'hommes et de baisers qui s'attardaient dans mes cheveux ébouriffés.

☼

Le lendemain, j'ai décidé de faire en sorte que maman n'envahisse plus mes pensées. J'ai libéré mes deux aras, par la fenêtre de ma chambre, après les avoir transformés en avion de papier. J'ai offert les caisses de vêtements aux œuvres de charité. Voyant leur hésitation à venir les cueillir chez nous, je leur ai promis un don additionnel de cent dollars, s'ils me débarrassaient de tout, le jour même. Une heure plus tard, il ne restait plus rien. Fruit Loops fut autorisé à sortir plus souvent de sa cage et j'ai recommencé à faire hurler les haut-parleurs à en ébranler les murs de la maison. Parallèlement, je surveillais de près mon nouvel ami à naître. Je le confiais aux bons soins des monarques du calendrier tous les soirs, dès que j'avais biffé la date du jour. Je sortais peu et je recevais rarement. Outre Thomas et Paul qui venaient parfois m'offrir leurs services (!), je ne voyais pratiquement personne. Édith m'évitait, c'était évident. Elle n'avait pas reçu le coup de fil que j'attendais, à moins qu'elle ne me l'ait caché, ce dont je doute fort. Sa joie aurait été sublime à l'idée de me prouver que Jeff était bel et bien dans les parages et que, de surcroît, il retournait l'appel d'une inconnue. Non. Elle ne devait sûrement pas avoir eu de ses nouvelles, sinon je l'aurais su.

La citation

« *Ce n'était pas aussi sans quelque raison que je croyais que ce corps (lequel par un certain droit particulier j'appelais mien) m'appartenait plus proprement et plus étroitement que pas un autre. Car en effet je n'en pouvais jamais être séparé comme des autres corps; je ressentais en lui et pour lui tous mes appétits et toutes mes affections; et enfin j'étais touché des sentiments de plaisir et de douleur en ses parties, et non pas en celles des autres corps qui en sont séparés*.* » J'étais tombée sur ce livre par hasard : *Méditations métaphysiques* de Descartes. Le paragraphe en question avait été surligné en jaune par une main tremblante qui n'était pas la mienne. J'étais persuadée qu'en vérifiant plus tard, les mots ne seraient plus les mêmes. J'ai alors décidé de les écrire. Ensuite, j'ai opté pour les somnifères. Je n'avais pas le cœur à ouvrir les écluses.

Le lendemain ressembla à tous les autres jours. Diète de laitue fade à l'huile d'olive. J'ai manqué de fil de soie. Alors j'ai défait le châle de ma mère pour pouvoir continuer le mien, malgré les défauts évidents provoqués par le relâchement des mailles à certains endroits. Dans la soirée j'ai boudé Descartes, lui préférant Cervantès et ses moulins à vent.

Ensuite, je me suis offert le luxe ultime. J'ai commandé une pizza toute garnie avec double portion de fromage, des frites et une tarte au sucre pour le dessert. J'ai ouvert une bouteille de champagne en accompagnement. Puis, je me suis installée dans le hamac,

---

* René DESCARTES, *Méditations métaphysiques*, Paris, GF Flammarion, 1992, p. 181.

enroulée dans mon nouveau châle, le magnétophone d'une main, la coupe de l'autre. Quel jeu d'adresse. J'en ai renversé la moitié sur moi. Qu'importe, il n'y avait plus personne pour me réprimander.

– Serveur? Du champagne dans la 2016, s'il vous plaît. Tu es belle.

– Merci.

Le monde s'évanouissait autour de moi. Je nous revoyais ce soir-là, enlacés, amoureux. Nous avions la nuit devant nous. Les rires ne nous atteignaient plus. Je me suis mise à chanter à tue-tête : « *Le vent dans tes cheveux blonds, le soleil à l'horizon, quelques mots d'une chanson, que c'est beau, c'est beau la vie*.* »

Je chantais faux, disait-il. Plus j'y pense et plus je crois que je n'aurais pas dû remuer ces souvenirs sans arrêt. Mais je n'y pouvais rien. Je revoyais nos corps affamés de tendresse qui s'empiffraient de rudesse. Ce sont les dernières pensées que je me rappelle. Le champagne et les somnifères ne font pas bon ménage.

« Arrête. Tu me fais mal. Pourquoi fais-tu ça? Ne pousse pas dans ma gorge comme ça. Tu m'étouffes. Attention. Ta voix est gravée sur ma bande. Au secours. Mon cerveau manque d'air. Six secondes, sept secondes, huit secondes. Des dommages permanents sont à prévoir. Arrête, Jeff. »

Je me suis réveillée en sueur. Encore ce cauchemar. Sauf que cette fois-ci le visage de Jeff m'apparaissait

---

* *C'est beau la vie*, musique de Jean Ferrat, paroles de Claude Delecluze et Michèle Senlis.

clairement! Je devais avoir trop hâte de le revoir. J'ai sorti les pinceaux. J'ai peint cette nouvelle toile.

Adulterium

« *Adulterium*, huile sur toile 84 x 96. Toile surréaliste dégageant une violence brute, animale. Teintée d'un lyrisme moderne. Assemblage compliqué donnant l'impression de chevaux argentés lancés au grand galop, crinières au vent. »

Cette nuit-là, notre première. La nuit dont je me souviendrai longtemps, même si je cherche à l'oublier. L'instant captif de ma mémoire. Moment qui fit éclore un désir, le nôtre. Ce désir que nous avions l'un de l'autre, depuis peu. Désir éphémère enlisé dans l'immortalité de l'instant. Pendant cet instant suspendu à nos lèvres, j'ai perçu l'essence d'un bonheur. Je l'ai aimé dès le premier regard. Notre nuit, la première. La seule qui compte encore pour moi. Et pourtant tout ce temps devant nous. Puis celui derrière. Ce temps perdu à ne pas nous connaître, mais qui s'inscrit dans notre histoire. Avant cette nuit-là. Avant que se forme le désir. Avant que son regard mémorise mon étrangeté, mon impudeur. Après, je ne sais pas. Je ne peux concevoir ces choses-là. Quelle mémoire garde-t-il de ces instants? J'ai peine à rassembler mes idées. Comment saurais-je décrire ce qui l'a façonné?

Je me revois près des autres, inconnus d'un soir. Tant de luxe, les robes chics, les bijoux, les canapés fins. Et Jeff, au fond de la salle. Imposant de prestance. J'ai compris le signal de son désir sur-le-champ. Son besoin d'aventure me narguait comme le vent. Il s'offrait à vendre tel l'amour bon marché. J'ai remarqué l'étalage. Oui, c'est ça, l'apparence de sa beauté comme un solde. Une aubaine pour la jeune femme que je suis: ni belle ni laide, mais complexée tout de même. Cette beauté du dehors le moulait si bien.

J'avais opté pour ma plus belle robe. La bleu argent. Celle qui attirait les regards des hommes et faisait se détourner ceux des femmes envieuses de ma silhouette. Le reflet bleuté se prolongeait dans ses prunelles sous l'éclairage tamisé des lampes. Oui, je l'ai aimé dès le premier regard. Il me ressemblait un peu. Je percevais un malaise dans ses yeux tristes. Le même vide qui me trouait le cœur depuis si longtemps.

Quand je l'ai vu, mon cerveau a cessé d'enregistrer les détails de la fête. Seuls les battements amplifiés de mon cœur, au fond de ma gorge et sur mes tempes, prouvaient que j'étais encore en vie. Mon corps manifestait d'étranges pulsions qui me forçaient à laisser ma flûte de champagne sur la table, à m'asseoir sur le bout de ma chaise, le corps bien raide pour contrer le déséquilibre qui m'envahissait. Le tremblement de mes mains, devenues moites et glacées, n'était rien d'autre qu'un effet secondaire causé par sa vision.

Pendant tout ce temps suspendu à nos lèvres, je n'ai pas compris ce qui m'arrivait. C'est dans l'après que se produisent ces choses-là. Un sentiment nous envahit comme une douloureuse indigestion. Ça dérange. Ça provoque un malaise, une interrogation. Est-ce grave? Puis la mémoire de la douleur nous revient. Souvenirs d'un abandon, d'une trahison, des pardons et des retours à l'improviste, tellement plus tard. Suis-je prête à revivre cela?

Le monde s'évanouissait tout autour. Nous avions la nuit devant nous. Les rires ne nous atteignaient plus.

Déjà, un peu plus tôt, nous nous observions en retrait, le temps nécessaire pour que le courant soude nos fils. Il me dévorait de ses yeux de loup. Brebis, je me sentais prise au piège. Puis, son haleine m'a enveloppée et plus rien d'autre n'a compté. Il tissait sa toile autour de mes appréhensions. Adieu culpabilité. À demain explications, mensonges et remords.

Il n'aura fallu qu'un coup d'œil vers la porte pour que le signal me parvienne droit au cœur. Que son sourire ténébreux pour que tous les rubans du passé se déversent de ma mémoire, en accéléré, devant mes yeux qui refusaient de les voir. Le temps suspendu. Le souffle d'un ange. Nos pas aspirés vers l'ascenseur de l'hôtel alors que nos silences s'enchaînaient. Et tous ces gens dans la grande salle en bas qui s'arrosaient et se moussaient au champagne du plaisir. Quelle belle fête tout de même. Le 31 décembre 1999. Un autre siècle, une autre époque. Qu'est-ce qui a bien pu changer ? Rien. Les hommes demeurent aux aguets et les femmes prêtes à tomber dans leurs filets.

Puis la peur de ses bras a fait régresser mon envie de lui. Faire l'amour en ce moment amplifierait la honte d'être au bord de l'illégitime limite, impossible à nommer. Il était plus vieux que moi. Je soupirais et il riait. Il respirait bruyamment tel un buffle. Mes cheveux teints et en désordre, à la couleur typique des idées noires, ne m'obéissaient plus. Il les a recoiffés avec ses mains. Plus mon désir de lui grandissait et plus je m'éloignais d'une fausse situation de dépendance. Je n'étais plus liée à Jack. L'espace d'un instant, j'étais redevenue libre. Ce moment de légèreté ne pouvait être associé qu'à un inexplicable hasard. Aveuglant. Irréfléchi. Le fait de vivre ou de mourir n'était même pas pertinent. Seule l'extase du moment valait la peine d'être vécue.

Et ce temps arrêté où deux êtres s'évaluent. Vingt étages. Je cherchais quelque chose à lui dire. J'ai badiné sur ma profession inventée. Je lui ai montré mon magnétophone. J'enquêtais sur les phénomènes sociologiques. J'ai prétendu être journaliste. J'avais lu quelque part que l'humain n'est ni une chose ni un animal, mais c'est faux. Nous jouons parfois à être l'un ou l'autre. Nous nous laissons posséder comme un objet et nous assouvissons nos instincts telles des bêtes. Il en va de même pour nos problèmes, qui ne sont ni ceux d'une chaise ni ceux d'un oiseau ; nos problèmes et nos soucis naissent de notre condition de vie en société. Alors j'ai osé une banalité : « Que fais-tu dans la vie ? », tout en me demandant « Et en ce moment ? Que veux-tu faire de cette nuit ? Un cauchemar ou une œuvre d'art ? Gâcher ta vie et la mienne ? »

Cette aventure ne devait pas être perçue comme une vengeance, car je ne la ressentais pas de telle façon. Je renouais enfin avec le désir d'un homme attirant, attentionné, pressé. Je jouissais du plaisir coupable du geste interdit. J'avais un soir pour assouvir mes instincts trop longtemps refoulés. Je souhaitais une nuit débridée. Une nuit folle et enivrante. Ce n'était pas ma tête qui guidait mes pas vers l'ascenseur, mais un désir bien réel qui s'était emparé de mon corps. Et la nuit nous a enveloppés à nous étouffer. Le temps ne comptait plus. Seules nos odeurs qui se mélangeaient.

Il a ouvert la porte prudemment. Nous avions entendu des voix. Le poste de télé était resté allumé. Il a réduit le volume. La chambre était morne, aux couleurs de marrons cuits. Une légère odeur de poussière effleurait mes narines. Dans ses yeux, j'ai remarqué l'influence du système dans lequel nous vivons : hagards et envieux, éthyliques et passionnés. Mais je n'ai pas reculé. Il me serrait dans ses bras. Mon regard s'attardait sur son torse. Je ne voyais plus que lui et le pan de sa chemise qui témoignait de son ivresse. Les autres en bas s'amusaient. Pantins d'un autre temps, de l'avant cette nuit-là.

La capsule ouverte des informations télévisées déversait son concentré de malheurs. Histoire de nous faire oublier le nôtre. Drame conjugal à Montréal. Étrange placebo pour nos maux de tête. « Hier, le 30 décembre, l'ex-Beatle George Harrison est passé à un cheveu de la mort lorsqu'il a été poignardé dans son manoir près de Londres. »

Une fois sous la douche, je m'étais mise à chanter à tue-tête. En riant, il m'avait supplié de me taire. Je chantais faux, disait-il. Curieux, il s'est emparé de mon magnétophone. Je le lui ai interdit. Mais c'était plus fort que lui. Il voulait savoir ce que j'avais enregistré. Et je lui ai menti. Je n'étais pas journaliste. À peine une artiste. Je me sentais inspirée ce soir-là. Ma plus belle création venait de germer dans nos regards en fusion.

Dans ce désir qu'il avait de mon corps se dégageait un peu de sa violence. Et cette violence, enfouie jusqu'alors, se déterrait sournoisement pour sculpter son visage. Argile de statue. Beauté brute. Violence de brute. Mais je ne savais pas encore la nommer. J'ose dire que j'aimais ce que je voyais, car sa beauté animale m'aveuglait. Deux bêtes dans la nuit. Chaleur et poussière de galops étouffés. Et le temps encore là, suspendu au-dessus de nos têtes. Présent comme une mise en garde. Un radar pointant dans notre direction.

❊

J'aurais dû éteindre la télé. Malgré nos élans passionnés, je ne pouvais détourner mon attention ni me concentrer sur ce que nous vivions. Il me caressait presque brutalement et je devenais triste. Je ne ressentais rien. Puis mes pensées se sont égarées. Et j'ai revu les scènes de mon enfance comme des malheurs dignes du journal télévisé.

Et que dire de toutes ces injustices qui balaient la planète ? Que penser de tous ces drames ? Génocide par-ci, famine par-là. N'est-ce pas plus important que mes petites cicatrices ? Comment ne pas être envahie par la haine, la colère, le désir de vengeance ? Devons-nous accepter sans un mot toutes ces horreurs comme une fatalité ? Comme la pauvre vieille l'autre jour. Poignardée en plein soleil sur un banc de parc. Pourquoi a-t-elle résisté au voleur qui voulait s'emparer de son sac de papier brun rempli de graines pour les oiseaux ? Pourquoi autant de gens se trouvent-ils au mauvais endroit, au mauvais moment ? Croyait-il vraiment qu'un trésor s'y cachait ? Pourquoi ne s'est-elle pas défendue avec sa canne ? L'aurait-il attaquée si elle s'était promenée avec un sac de provisions ou un sac à main ? Aurait-elle connu le même destin si le jeune homme n'avait pas subi la colère de son père juste avant de commettre son crime ? Était-il drogué ou en manque ? Pourquoi elle ? Et si je m'étais trouvée sur ce banc, à sa place, à cet instant, aurais-je subi le même sort ?

Quand j'ai vu l'entrefilet dans le journal, je me suis rendu compte que, depuis la veille de cet assassinat, tous les yeux de la planète étaient tournés vers les États-Unis.

Une histoire de cigare à la Maison Blanche. Par conséquent, les petits drames vécus au quotidien avaient été relégués au second plan.

Et dans ce bas monde où Dieu est soit absent, soit inexistant ou contesté, une chose m'apparaissait toutefois claire comme de l'eau de pluie : les dés ne pouvaient être pipés. Je ne croyais pas au destin ni à la fatalité. Pour moi, aucun Être supérieur ne pouvait mener le cours des événements. Il y avait trop de situations impondérables, de tragédies humaines, de révoltes sourdes en chaque individu pour qu'un seul Être puisse tenir le grand livre des actions de chacun chaque jour, pour chaque heure, chaque minute, chaque seconde de sa vie. Comme preuve, je voulais jouer avec le feu ce soir, mais personne n'aurait pu prédire ça.

Je me suis étirée pour fouiller à tâtons dans mon sac. J'ai allumé la lampe de chevet, j'ai ouvert mon flacon de calmants et j'en ai avalé trois d'un seul trait. Béat, il regardait dans le vide en flattant ma cuisse machinalement. J'ai enlevé sa main et lui ai annoncé que je voulais partir. Il m'a conseillé de rester, de m'amuser, d'en profiter. Qu'il était trop tôt pour m'en aller. Qu'il me kidnappait pour faire l'amour toute la nuit, mais il ne bougeait pas. Alors j'ai pris les devants comme je savais si bien le faire, quand je le voulais. « Aussi bien l'épuiser maintenant », me suis-je dit. Et là, il s'est mis à rire comme un fou. Je me suis sentie soulagée. Il était tellement plus adorable quand il riait. Moins menaçant, en tout cas.

Je me suis tournée sur le dos. Les yeux fixés au plafond, je lui ai expliqué ce que j'avais le goût de faire avec lui. Des gestes équivoques. Il n'a pas eu l'air d'aimer ce que je proposais. C'est là que j'ai vraiment eu peur de son regard de loup pour la première fois. Je me suis même demandé s'il pouvait devenir méchant. Mais aussitôt il m'a embrassée comme j'en avais toujours rêvé. Un baiser plein de promesses cette fois. Sensuel et doux. Puis il s'est allongé sur le lit. Je l'ai attiré brusquement vers moi. Il était trop pressé, je l'ai repoussé. Je voulais le contrôle, pour une fois. Il a résisté. Nous nous sommes chamaillés. Puis, j'ai dû l'obliger à patienter encore un peu.

Pour le calmer, j'ai pressé deux doigts sur le centre de ses lèvres en soufflant « chut… chut… chut… ». Il m'a regardé de biais et sa froideur soudaine m'a glacé la peau. J'ai tiré sur les couvertures, en reprenant mon souffle. Il s'est levé en titubant et a vidé la bouteille de champagne. Je me souviens d'être demeurée quelques minutes aux aguets, incapable de comprendre pourquoi je restais là auprès de lui. J'aurais pu me sauver. Ou appeler à l'aide. Un signe ? Sans doute. Pourquoi pas ? C'était sans conteste un message, inconnu de moi et envoyé par le destin que je refusais d'écouter. J'ai compris trop tard que je devais apprendre à exiger le respect. Pour me faire du bien, tout simplement. Hélas, il me manquait de la sagesse. Beaucoup de sagesse.

Jeff s'est excusé d'avoir été aussi brusque envers moi. Il m'a promis qu'il ne recommencerait plus avec autant de rudesse. Il avait mal saisi mes intentions. Il croyait que je jouais ce petit jeu-là : provocation et recul. « Certaines femmes aiment ça, dit-il. Ça fait monter la tension et le désir. » Mais moi, je ne jouais pas. Alors il m'a proposé de s'occuper de moi plus doucement. Si c'était cela que je souhaitais. Mais je ne voulais pas de lui de cette façon. Il ne comprenait pas. Je le désirais comme un amant viril mais tendre, brusque mais doux, devinant mes désirs sans explications ni dessin. Je n'avais pas besoin d'un frère ou d'un ami. Encore moins d'un client à qui il faut tout faire pour plaire. Je n'avais pas envie qu'on s'occupe de moi. Pas comme ça.

Il s'est allongé de nouveau près de moi, incapable de retenir ses mains. Il a caressé mon flanc comme on caresse un chat endormi. J'ai refusé la couverture qu'il m'offrait. Je n'avais plus froid. J'avais mal, c'est tout. Il ne saisissait pas très bien où je voulais en venir, cela paraissait dans ses yeux. Ivresse ou innocence ? Je m'en foutais. De toute façon, j'avais l'intention qu'il souffre un peu. Il affichait une telle confiance en lui que je voulais lui en faire voir de toutes les couleurs. Va savoir pourquoi. Ma vie, mes horreurs, sa jouissance, mon malheur, mon désir, une horreur, mon bien-être, sa présence, mon échec, mon père. Tout se mélangeait dans ma tête. J'étais de plus en plus confuse. Il m'a alors regardée, mal à l'aise, avant de conclure que j'étais folle.

À quelques reprises, je me suis enfermée dans les toilettes, pour confier un peu de notre histoire à mon ami imaginaire. J'avais envie qu'il entende tout, à chaud. J'enregistrais ses compliments qui à la longue rachetaient tous les instants où j'avais eu peur de lui sans pouvoir m'en aller. Mon magnétophone me donnait ce pouvoir-là sur les gens. Je pouvais faire un arrêt, retourner en arrière, et même effacer un peu de cette mémoire.

De nouveau, il m'a enveloppée de son corps. Tendrement cette fois. Comme j'avais souhaité être aimée depuis toujours. Pendant qu'il me caressait, je revoyais tous mes souvenirs à l'enfilade. Figée, incapable de le repousser, je me suis laissé faire. Il avait éteint la lampe. Je ne savais plus où j'étais ni avec qui. Je me rappelle seulement que c'était cela que je recherchais : le bonheur tranquille de l'amour tendre.

Une douce musique sortait du poste de télévision. Malgré toutes les caresses que j'étais prête à lui faire, il ne me regardait plus. Ses yeux étaient retournés par-dedans. Je cherchais son regard fuyant, pour m'accrocher à ses pensées et filer avec lui sur cette vague qui semblait le noyer. Mais il savourait sa jouissance sans vouloir la partager avec moi. Alors j'ai parlé PLUS FORT pour qu'il s'aperçoive que j'étais encore là. Après un long soupir de contentement, il a ouvert les yeux, puis la bouche, en formant un « O » muet. Mes mains lisaient son dos comme un manuel en braille. L'ivresse ne déformait plus son sourire. Mais sa tristesse me faisait pitié. J'avais encore échoué.

Je retourne maintenant cette image. Celle du début de notre désir. Pudeur oblige. La nuit aidant, la censure s'endort. Mais j'ai capté cet instant. Un cliché sans flash, en noir et blanc.

Toute la journée, le mauvais rêve a défilé en accéléré devant mes yeux. L'étrange malaise ne me quittait plus. Tout ce que je réussissais à avaler était cette grosse boule qui m'obstruait la gorge. Mon pouls demeurait élevé même au repos, mes muscles contractés répondaient mal aux commandes de mon cerveau, mes paupières étaient lourdes, mes pensées, des pressentiments, mes mots, de mauvais présages.

La matinée avait étiré mon cauchemar comme un nuage qui s'effiloche dans le ciel bleu en laissant un mince voile sur le soleil. Le téléphone sonnait sans arrêt, mais je ne voulais pas répondre. Mon sixième sens, indicateur de malheurs, atteignait maintenant un niveau record de sensibilité. La réalité devenait dangereuse. J'éprouvais une peur irrationnelle. Je me suis décidée à décrocher le récepteur.

— Édith? Qu'est-ce que tu as? Parle moins vite veux-tu? Arrête tes conneries. Comment ça à la télévision? Tu sais bien que c'est impossible. Il ne ferait pas de mal à une mouche. De quoi parles-tu? Ce n'est sûrement pas lui, voyons. Il y a plus d'un chien qui s'appelle Fido.

Édith tentait de m'expliquer qu'elle avait vu Jeff au journal télévisé de midi. La police venait de l'arrêter pour violence conjugale. Il était marié et père de trois enfants. « C'est impossible. Il n'est même pas en couple, me suis-je dit. Il ne m'a jamais dit qu'il avait des enfants non plus. Et puis, il est à l'extérieur de la ville. Elle doit se tromper. »

— Es-tu bien certaine que c'est lui?

— J'ai vu les policiers amener un homme qui s'appelle Jeff Galloway. Il se cachait le visage.

— Si tu ne l'as pas vu, alors comment peux-tu dire que c'est lui? Tu sais bien qu'il est en voyage d'affaires.

— Je suis sûre que c'est lui.

— Voyons donc! T'es folle?

— Il portait un bracelet comme celui que tu lui as donné.

« Quel bracelet? » ai-je pensé. Je ne me rappelle pas lui avoir offert un bracelet. Elle doit vouloir me faire peur pour rien. Elle ne m'aura pas. Je ne la crois pas. Tu mens, Édith. Tu mens comme tu respires. »

— Je ne lui ai jamais donné de bracelet.

— Voyons, Brigitte, arrête de déconner. Tu lui avais donné ça après seulement une semaine.

– Ah oui! Mais ce n'était pas un bracelet finalement. Je lui avais offert une chaîne en or.

– Arrête de mentir. Tu m'exaspères. Qu'est-ce que ça peut te donner de le défendre? S'il est coupable, qu'il soit jugé, c'est tout. C'est mieux aussi pour toi. Il est dangereux.

– Puisque je te dis que ça ne peut pas être lui.

– Appelle la police et vérifie toi-même. Ou mieux, regarde le bulletin de nouvelles. Tu verras bien.

« Elle devient complètement paranoïaque. Elle croit que je suis en danger alors qu'en fait, elle est jalouse. Elle veut me détruire, détruire mes espoirs et l'amour qui vient avec. »

– C'est ça. Je regarderai la télévision ce soir. Je n'ai rien d'autre à faire en attendant qu'il revienne la semaine prochaine.

– Veux-tu que j'aille te voir? As-tu besoin de quelque chose?

– Non, merci. Ça ira.

– On se rappelle?

– …

Je ne me souviens pas si je lui ai répondu. Même machinalement ou par politesse. Je dois l'avouer, elle m'avait sonnée. J'ai allumé la télé. Je n'aurais pas dû. J'ai craqué.

« Je ne veux plus être un bombyx du mûrier, domestiqué, docile, obligé de devenir soie. Il faut que je me libère, que je redevienne Petit Sylvain. Ne regarde pas, maman, je ne suis pas prête. Je vais me fabriquer un nouveau costume. Tu n'auras plus d'emprise sur moi. Et toi, Jeff, regarde bien. J'enlève les épingles. Je quitte ton babillard. »

Je n'ai qu'un vague souvenir des heures qui ont suivi. On me les a racontées. Comment ne pas douter que ce soit la vérité?

☼

Les lampes étaient restées allumées. Paul revenait d'une soirée d'anniversaire. Celui de sa sœur. C'était le 24 octobre 2000. Intrigué de trouver de la lumière chez moi à trois heures du matin, il s'est approché de la fenêtre du salon. Il a fait le tour de la maison, pour regarder dans la cuisine. Rien. Il ne voyait pas dans les chambres à coucher à cause des tentures. Il a sonné. À plusieurs reprises. Aucune réponse. Il est retourné chez lui. Je ne répondais pas au téléphone. Il s'est inquiété, mais a décidé d'aller dormir quand même. Le lendemain matin, il a vu que les lumières brillaient toujours malgré la clarté. Il a pensé que j'étais partie en vacances quelques jours en laissant de la lumière pour tromper les voleurs.

Vers midi, il a vu l'épicier qui déposait une caisse de légumes sur mon balcon, après avoir sonné également. Il l'a interpellé. « Non, elle n'a pas annulé sa commande de la veille, elle ne doit pas être très loin », lui a-t-il répondu. Vers quatorze heures, il a remarqué Édith qui rôdait autour de la maison. Puisqu'il ne la connaissait pas, il a joué au détective. La panique s'est emparée d'eux. Édith n'avait pas ma clé. Ils ont appelé la police, qui a fait venir une ambulance.

Je vous jure sur la tête de ma mère que c'est exactement ce que Paul m'a raconté. Fermez les yeux. Imaginez la scène. J'adore la fête de l'Halloween. Dans la chambre de ma mère, j'avais prévu un décor à la hauteur de mes talents d'artiste. En ouvrant la porte, Édith a poussé un cri de mort. Des toiles d'araignées géantes, fabriquées à partir du fil de soie qu'elle avait acheté, étaient suspendues au plafond et couvraient presque entièrement la pièce. Au centre de chacune, une mygale en plastique. Des cheveux d'ange avaient été effilochés puis disposés de part et d'autre, pour créer un effet fantomatique. Sur le sol, un tapis de feuilles mortes. Édith a essayé d'allumer le plafonnier, en vain. L'ampoule était grillée. Elle a voulu se frayer un chemin jusqu'à la fenêtre, mais elle n'osait pas. Elle a même cru voir des chauves-souris. Ce dont je doute fort. Les ambulanciers cherchaient la malade, la police cherchait le corps, Édith et Paul me cherchaient. Fruit Loops répétait des paroles désespérées :

– Ding, dong, Brigitte, ding, dong, Brigitte. C'est bébé. Viens manger avec bébé. Fruit Loops, Fruit Loops veut manger. Viens voir maman, mon bébé. Brigitte, Brigitte. Vous avez des yeux magnifiques, vos yeux sont magnifiques… ding, dong, Brigitte, ding, dong.

Édith s'est décidée à marcher à quatre pattes en direction de la fenêtre. Elle voulait ouvrir les rideaux. Sa tête a touché le hamac. Elle a levé les yeux et s'est mise à hurler avant de perdre connaissance. Paul s'est approché. Il a vu un immense cocon blanc, telle une momie enroulée dans le hamac. Il a crié aux ambulanciers de s'approcher. Il m'avait retrouvée. Tête en bas, seul mon nez n'était pas enveloppé. Je me demande encore comment j'ai fait pour m'emmitoufler de la sorte. Comment ai-je fait pour survivre ? Un flacon de pilules vide, tombé à côté, fut ramassé par le policier. Il emporta aussi le magnétophone et la cassette, « Le Collectionneur de papillons », mon journal intime et mon pot de confitures. Le petit cocon était fendu. Des araignées minuscules s'en échappaient. Déception. Moi qui croyais dorloter un papillon.

Mea-culpa

« *Mea-culpa*, huile sur toile 84 x 96. Cette toile dégage une symbolique sophistiquée qui s'exprime par le moyen de l'image double : corps d'un enfant, tenant dans sa main un œuf, d'où sort un autre enfant de sexe différent, tenant une arme à feu d'où émerge une fleur fanée. Leurs avant-bras sont tatoués. On croirait des serpents prêts à cracher leur venin. Très surréaliste. »

Je suis sortie de l'hôpital le 24 janvier 2001 après trois mois en psychiatrie. En relisant mon journal intime, j'ai conclu que je n'avais aucun talent pour l'écriture. J'ai donc recommencé à peindre. N'ayant rien de mieux à faire, j'ai réparé mes toiles, une par une. Lorsque j'ai eu enfin terminé, je n'étais pas satisfaite. Il manquait la principale. J'ai peint *Mea-culpa*.

C'est donc dire que certains événements pourraient trouver leur origine dans mon enfance. Ou découler de ma rupture amoureuse. Ou avoir été causés par la mort de mon père, de ma sœur et de mes petits frères. Peut-être. Mais ce n'est pas tout. Il y a autre chose. La raison invoquée pour ne pas monter en voiture avec mon père était la plus importante de toutes.

Ce qui m'est arrivé est selon moi comparable à une opération pour un cancer. De la bouche par exemple. Même si le chirurgien enlève la plaie, il reste toujours une lésion. Un trou. Un trou dans lequel on sent notre pouls. Une cicatrice indélébile qui ne paraît pas quand on parle sauf que lorsqu'on crie, la bouche ouvre tellement grand qu'une personne attentive pourrait remarquer qu'il y a un trou. Elle verrait donc qu'il manque quelque chose. Or, moi, je savais que, tel un cancer, on n'oublie jamais ce trou-là, ce pouls qui bat dans nos oreilles et qui nous le rappelle sans cesse. La thérapie n'efface pas tout. Elle referme simplement la plaie. Pour un temps. Mais, quand on force une couture, elle cède. C'est physique. On n'y peut rien.

Au fond de moi, j'ai toujours su ce qui n'allait pas. Je ne parlerai pas en paraboles. Je vais peindre une autre toile, le moment venu. Je ne prendrai aucun calmant ni somnifère ni aucune drogue quelle qu'elle soit. J'essaie d'arrêter. Je sais que c'est nuisible pour ma santé. Certains jours c'est plus fort que moi, mais une fois les pinceaux sortis, je me tranquillise et je résiste. Le médecin m'a conseillé un sevrage graduel. Au moins un an, minimum. Ensuite, il pourra me prescrire autre chose de plus naturel. Si j'en ai réellement besoin.

Tout a commencé bien avant ce Vendredi saint où Dolorès est réapparue. Si j'avais à mettre une date, ce serait le 3 novembre 1977.

Cette année-là, la province avait enregistré des records de chaleur et d'humidité tout l'été. Même pendant l'été des Indiens. Je commençais à me sentir bien. J'allais avoir dix-sept ans le 17 décembre. Mon année chanceuse. J'avais été admise au cégep du Vieux-Montréal, en arts et lettres. J'avais de grandes ambitions et toute la vie devant moi.

Le 30 juin, l'association étudiante avait organisé une soirée pour célébrer la fin des études secondaires. Les élèves ne voulaient pas d'un bal. Trop guindé pour le quartier. C'est là que j'ai rencontré Richard. J'étais seule. Il avait été invité par une connaissance à moi. Je lui ai plu. Je n'ai rien fait. C'est arrivé comme cela. Je ne me faisais pas d'illusions quant à l'amour, mais je rêvais tout de même de rencontrer un jour le Prince charmant. Il m'a traînée dans une chambre. Il avait l'habitude. Je l'ai laissé faire, mais je n'ai pas aimé cela. Pas plus que les autres fois. Le lendemain, j'ai tenté de le revoir. J'étais surprise. C'est à peine s'il osa me parler. Après ce que nous avions vécu, la nuit d'avant, je n'aurais pas pensé.

À cause d'un désordre de la glande thyroïde, mes règles n'arrivaient parfois qu'aux trimestres, lorsqu'elles arrivaient. J'ai déjà été presque un an sans aucun saignement. Ce défaut génétique, hérité de ma mère, ne m'avait jamais angoissée, car je trouvais la situation bien pratique. Voilà pourquoi je n'ai pas décelé immédiatement les symptômes de mon état. J'avais bon appétit, je prenais du poids, mais je ne m'inquiétais pas outre mesure.

Puis, j'ai découvert que j'étais enceinte. J'ai appelé Richard pour le lui annoncer. Il a dû croire à une mauvaise blague, car il m'a raccroché au nez. Je ne pouvais concevoir un message plus clair de refus de paternité. Ce jour-là, j'ai vraiment compris ce qui m'arrivait et j'ai eu un choc. Je suis allée consulter un médecin tout près de l'école. Il m'a dit que le fœtus devait avoir tout près de dix-sept semaines. Un rapide calcul mental me confirma que Richard ne pouvait pas être le géniteur. J'ai eu une pensée pour mon voisin, le facteur, qui préférait passer par en arrière. Pour ne pas se faire prendre. Était-ce lui alors ? Puis j'ai pensé à mon oncle, si malheureux d'avoir tué des hommes. Puis à mon père. Aux mots trahison et innocence. Ensuite j'ai pensé à ma mère. Et au fait qu'elle en mourrait si elle savait. Puis j'ai pensé à moi. Si peu. Je me suis dit qu'après tout, papa me tuerait, si je le gardais.

Le médecin a entendu le cœur. Je ne voulais pas, mais j'ai écouté quand même. Il l'a remarqué et m'a fait rencontrer la travailleuse sociale. Elle s'appelait Louise, comme ma mère. Il ne me restait plus beaucoup de choix. Je devais faire vite si je voulais qu'un arrêt de grossesse soit envisageable. Alors Louise m'a prise sous son aile. Il fallait que je prenne une décision éclairée, ensuite nous verrions. J'ai ressenti un certain soulagement de pouvoir partager ce malheur avec quelqu'un qui avait le même prénom que ma mère. Parfois, en lui parlant, je fermais les yeux. L'illusion était presque parfaite.

À cause de cela, j'avais cessé de parler à ma mère. Je ne supportais plus ses commentaires sur mon embonpoint. En attendant de prendre ma décision, j'avais réussi à lui cacher ma grossesse en me ceinturant l'abdomen de bandes élastiques. Très myope, elle ne faisait pas la différence entre un ventre grassouillet et celui d'une femme enceinte. Elle faisait semblant de n'avoir rien deviné et moi de la croire ignorante de ma situation.

Le jour où je l'ai informée que je ne viendrais pas coucher à la maison pour quelques jours, prétextant demeurer chez une amie, elle m'a lancé à brûle-pourpoint : « Tu n'es plus une enfant. Tu sais ce que tu as à faire. Souviens-toi que ton père ne supporterait pas que tu rentres à la maison dans cet état. » C'est là que j'ai compris à quel point ma situation était à l'image de nos relations : basée sur un faux-semblant. Sur l'hypocrisie. De jeune fille intègre, je devenais corrompue. C'est d'ailleurs, il me semble, ce qui a façonné toute ma vie après cet événement. En emportant avec elle mon secret jusque dans sa tombe, ma mère s'est rendue coupable de complicité. Comment dit-on? Complicité après le fait? En prétendant qu'il ne s'était rien passé, en refusant d'aborder le sujet bien des années plus tard, elle me confirmait dans mon imposture.

☼

J'ai continué d'aller à mes cours comme si de rien n'était. J'attendais avec impatience le moment libérateur; celui par lequel le souvenir de mon état deviendrait une flaque d'eau, puis une surface entièrement desséchée. Je m'en voulais de ne pas avoir été plus vigilante. Je me condamnais de ne pas avoir osé en parler avec Louise, ma mère. J'aurais aimé avoir été capable de refuser le stéthoscope. Malgré tout, il fut hors de question de changer d'idée et de le garder. C'était techniquement impossible. J'entends encore son pouls quand je ferme les yeux.

La veille de l'avortement, je me suis cloîtrée dans une petite salle de cinéma tout l'après-midi pour réfléchir. On y jouait encore *Vol au-dessus d'un nid de coucous* avec Jack Nicholson. Je l'avais déjà vu trois fois, mais il me semblait à l'époque que c'était le seul antidote contre la morosité qui m'assaillait. Voir des problèmes plus grands que les miens m'aidait à garder la tête froide.

La date prévue pour l'avortement arriva: le 3 novembre 1977. Le même jour que l'accident. Adieu bébé, adieu famille. Je ne me rappelle plus les jours qui ont suivi. Mais, une chose est certaine, je savais que je devrais faire mon mea-culpa.

Au début il y a eu les mots, tout en nuances, que j'ai entendus par-derrière mais que je ne voulais pas

115

comprendre. Puis les mots plus précis, brutaux sont venus m'arracher aux derniers relents de l'anesthésie. Ces mots, « Ils sont tous morts », me faisaient battre l'air avec mes mains comme si je m'étais ébouillanté le bout des doigts. J'ai bouché mes oreilles et je me suis mise à chanter lalalalalalalala pour enterrer les battements d'un cœur qui n'était pas le mien. Ces simples mots, « C'est ma faute », se sont insinués graduellement dans mon cerveau, en résonnant comme un écho et, à chaque vibration de cet écho, répété en boucles et en sourdine, des milliers de piqûres me dardaient la tête, car les paroles transformées en fléchettes avaient le pouvoir de s'infiltrer par tous les pores de mon visage, écorchant au passage mes yeux rougis par l'effort concerté des paupières et des cils pour retenir mes larmes, mes amygdales enflées, mon larynx brûlant, l'œsophage rétréci refusant de laisser passer les pointes acérées qui s'incrustaient malgré tout dans les parois ulcérées de mon estomac et qui finissaient par crever complètement mes poumons à peine gonflés.

Puis, les flèches ont percé un cratère immense dans mon cœur, dont le contour à vif se contractait au rythme des pulsations douloureuses de mon sang qui manquait d'air, car les spasmes meurtriers l'empêchaient de recevoir la bouffée rafraîchissante qui entrait par la fenêtre du salon. Je me suis alors repliée en deux, pour ne pas être aspirée par ce trou qui grandissait dans mon ventre. J'ai posé ma main droite sur mon cœur pour ne pas qu'il éclate, pendant que l'autre main se tendait pour agripper quelque chose ou frapper quelqu'un d'invisible, mais cette main aveugle n'y arrivait tout simplement pas, puisque j'étais devenue trop faible pour me battre. J'ai donc ouvert la bouche pour lancer un cri d'outre-tombe et hurler toutes ces injures qui me martelaient la tête comme un marteau-pilon, mais les mots, sortis en rafales comme des balles de fusil, se sont noyés dans les larmes qui, tel un torrent, se précipitaient dans ma gorge à ce moment précis, me privant d'air, me faisant cracher puis ravaler les bulles de morve qui éclataient dans mes narines. J'aurais voulu me rendre dans ma chambre pour déchirer la photo épinglée au-dessus de mon lit ou monter sur le toit pour me jeter dans le vide, mais mes jambes semblaient sciées sous les genoux, alors je me suis affalée par terre, mes moignons contre mon ventre, concentrant le peu d'énergie qu'il me restait pour tenter de refouler le trop-plein de lave en fusion qui me brûlait les lèvres. Je me suis dit qu'il valait peut-être mieux en finir tout de suite sauf que, étant trop épuisée pour bouger, je n'ai pas eu le courage de me suicider. Je n'avais que seize ans.

Remerciements

Pour l'illustration de la page couverture :
Modigliani Institut Archives Légales – Paris
Christian Parisot, Directeur
Archives du Montparnasse – Paris

Remerciements personnels :
À Évelyne, ma fille adorée, pour son aide et ses judicieux commentaires ; à Janik et Valérie pour leur sens de l'humour et leur belle présence dans ma vie ; à Pierre, mon amoureux, parce qu'il respecte les frontières de la création et qu'il sait créer l'atmosphère idéale à mon épanouissement. Un merci tout spécial à Michelle-France Robidas pour son esprit critique et son amitié.

Collection « Azimuts »

BALVAY-HAILLOT, Nicole, *L'Enfant du Mékong*.

BARRETTE, Jean-Marc, et Hughes GERMAIN, *Le Soleil de Pierre*.

BEAULNE, Paul, *Banc d'essai*.

BEZENÇON, Hélène, *Les Confessions d'une mangeuse de lune* (Prix littéraire Canada-Suisse 1994).

BOUCHI, Camille, *L'Éphémère*.

CASTILLO, Daniel, *Les Foires du Pacifique* (Prix littéraire Le Droit 1999).

CHARLAND, Jean-Pierre, *La Souris et le rat*.

CHAD, Pierre, *La Leçon des ténèbres*.

CHERY, Romel, *L'Adieu aux étoiles*.

CHICOINE, Francine, *Le Tailleur de confettis*.

CLAER, José, *Les Nymphéas s'endorment à cinq heures*.

CLAER, José, *Nue, un dimanche de pluie*.

DESMARAIS, Gilles, *Le Grand Débarras*.

FRÉCHETTE, Michel, *La Nature humaine de Biarritz Monnier et autres détours*.

FRÉCHETTE, Michel, *Un matin tu te réveilles… t'es vieux!* (Grand Prix de la relève littéraire Archambault 2004).

GAGNON, Marie-Claude, *Je ne sais pas vivre* (Prix Jovette-Bernier 2002).

GARNIER, Eddy, *Vivre au noir en pays blanc*.

GARNIER, Eddy, *Adieu bordel, bye bye vodou*.

GRIGNON, Jean, *Identité provisoire*.

IMBERT, Patrick, *Réincarnations*.

IMBERT, Patrick, *Transit*.

LAFOND, Michel-Rémi, *Le Fils d'Abuelo*.

LAMONTAGNE, Ann, *Les Douze Pierres* (Prix Arthur-Ellis 2005).

LAMONTAGNE, Ann, *Trois jours après jamais*.

LAURIER, Andrée, *L'Ajourée*.

LÉVESQUE, Anne-Michèle, *Rumeurs et marées*.

Lévesque, Anne-Michèle, *Fleur invitait au troisième* (Prix Arthur-Ellis 2002).

Lévesque, Anne-Michèle, *Meurtres à la sauce tomate.*

Massicotte, Gilles, *Liberté défendue* (Prix littéraire de l'Abitibi-Témiscamingue 1998).

Meunier, Sylvain, *La Dernière Enquête de Julie Juillet.*

Meunier, Sylvain, *Meurtre au Bon Dieu qui danse le twist.*

Meynard, Yves, *Un œuf d'acier.*

Michel, Pauline, *Le Papillon de Vénus.*

Olivier, Alain, *Le Chant des bélugas.*

Perron, Jean, *Autoroute du soir.*

Perron, Jean, *Le Chantier des étoiles.*

Richard, Bernadette, *Requiem pour la Joconde.*

Salducci, Pierre, *Journal de l'infidèle.*

Saint-Germain, Daniel, *Sept jours dans la vie de Stanley Siscoe.*

Simard, François-Xavier, *Milenka.*

Théberge, Vincent, *Francis à marée basse.*

Tourville, Janine, *Des marées et des ombres.*

Vaillancourt, Isabel, *Les Enfants Beaudet.*

Vaillancourt, Isabel, *Le Vieux Maudit.*

PAO : Réalisation des Éditions Vents d'Ouest inc., Gatineau
Impression : Imprimerie Gauvin ltée
Gatineau

Achevé d'imprimer en septembre deux mille cinq

Imprimé au Québec (Canada)